ちくま文庫

遠い朝の本たち

須賀敦子

筑摩書房

目次

遠い朝の本たち

しげちゃんの昇天

しげちゃんにさいごに会ったのは、一九五一年に私が女子大を卒業して三十五年もたってからで、場所は調布のカルメル会修道院の面会室だった。修道女たちと客をへだてる広い格子窓のむこう側にいる彼女の、白い布にきっちりとふちどられた頬は、熱のせいなのか、まぶしいほど桃色にかがやいていた。函館の修道院にいた彼女が数年まえから膠原病をわずらっているとは聞いていたが、夫の死後、長年暮したイタリアをはなれて、日本での生活のたてなおしに夢中だった私には、経済的にも、精神的にも、北海道までお見舞に行く余裕はなかった。しげちゃんが、東京の病院で治療をうけるために調布の修道院に来ている、そう聞いて、私はさっそく出かけて行ったのだった。

こんなところまで来てくれてありがとう、と彼女はあかるい声で言った。大事なことをうちあけたあと、ちょっと首をかしげて目をつぶる、むかしのくせがそのままだった。大学のころとおなじように、私たちは関西弁で話した。今日は病気のまえみたいに気分がいいの、うん、東京の病院はやっぱり研究がすすんでる、と彼女はうれしそうに言った。

＊

しげちゃんと私はもともと、六甲山脈のはずれにあたる丘のうえのミッションスクールで、小学校からの同級生だった。とはいっても、いっしょに勉強したのは、二年生までにすぎず、三年のとき父の転勤で私が東京の姉妹校に移ったあとは、子供どうしの別れのあっけなさで、手紙を書きあうでもなく、それきりだった。だいいち、転校するまでのしげちゃんを憶えているかと訊かれても、うまくは返事できない、それくらいのともだちだった。

一九四一年、日米戦争がはじまり、だんだん戦争が身近にせまってきて、初の空襲だかで東京の小学生がひとり死んだあたりから、子供たちの疎開が真剣に話されるようになった。私たちの家では、四四年に、疎開というほどではないけれど、とりあえず仕事のある父を東京に残して、母が私たち三人の子供を連れ、それまで祖母が若い叔母と留守をしていた西宮の家に帰ることになった。私が女学校四年生になる春のことで、東京を去ることに未練はなかった。私も妹も成績は中くらいだったのだが、たぶん、戦争中でミッションスクールの入学希望者がそれほどいなかったのだろう、試験というようなこともなく、校長先生に面接をうけただけで、もといた丘のうえの学校に編入をゆるされた。ヨーロッパ式に人数が極端にすくない学校だったから、一学年一クラスで、三十人とちょっと、それで、もういちど、しげちゃんと同級生になった。

「疎開」がいやでなかったのには、わけがあった。おなじ修道会の経営なのに、私は東京の学校の山の手のブルジョワふうな生徒の雰囲気にじぶんをあわせられなくて、そのころ登校拒否の一歩手前までいっていた。そのためにも、このときの転校は天からの贈物のようにありがたかった。もういちど、あたらしい環境ですべてをやりなおせる。そう思うと勇気がわいた。そのうえ、授業がまもなく廃されて、私たちは、教室を改造して学校内にもうけられた工場で、航空機の製造工程のいくつかを任されることになり、私は、いうことをきかないと頭を締めつける、あのなんとかいう金の輪をはずしてもらった孫悟空のように、有頂天だった。授業から解放されたことがなによりもうれしく、毎日がきらきらするように愉しかった。学校工場の研修期間がおわって、それぞれの作業の名称でよばれる部署に配属されたとき、しげちゃんと私はおなじ部屋に決まった。

それが彼女と話すようになるきっかけといえばきっかけだったろう。

私たちの班は、「飛行機の翼の部分につかわれるジュラルミン（硬質アルミニューム）板を、図体ばかり大きいわりにはどう見ても家内工業的な機械に、一枚一枚挟んではギチッと折り曲げるのが仕事だった。どういうことだったのか、他のほとんどの分隊（いまなら班というだろう）は、五十人、あるいはそれ以上の人数だったのに、私たちと、その隣の「木工分隊」というのだけは、十人足らずで、とくに「折曲げ分隊」にはやんちゃな生徒があつまっていた。いま考えると、精密な飛行機の部品のはずなのに、マニュアルのゲージで計ったりして、戦争に負けてあたりまえみたいな原始的な機械仕事だったが、アルミ板を曲げるときに微妙な手の動きで、折り目にひびがはいったり裂け目ができたりするのを、工夫してだんだん上達するのは、それなりに愉しい作業だった。木工場から運ばれてきた材料を期日までに仕上げ、ほっとしたあとは、一階だったから全員が窓から抜け出して、学校の裏のゴルフ場に遊びに行って物議をかもしたこともあった。

しかし、日がたってみると、おなじ作業工程のくりかえしや、本社から派遣された工員の顔色をうかがっては私たちを管理しようとする教師たちが、だんだんうとましくなった。それまでは考えてもみなかったのに、いざほんとうに勉強がなくなってみると、好きだった国語や英語の時間のないことに、がまんできなかった。わけても文字の世界と切りはなされてしまったことが、むしょうに淋しかった。

ただでさえ物資不足で十分な食事がとれなくなっていた私たちの健康を気づかってのことにはちがいないのだけれど、やがて、休憩時間には全員コーチャードと呼ばれていた中庭に出て、からだを動かさなければいけないという規則ができた。生徒たちがそのへんでうろうろしていると、早くおそとにいらっしゃい、と先生たちに追い出される。とくにラジオ体操をしなければならない三時の休みは、私にとってこのうえない苦痛で、どうにかしてそれを逃れようと、工夫をかさねたあげく、とうとう、工具室にあてられていた、高いところにひとつ窓があるだけの、うすらぐらい物置部屋にしのびこんで、そこで本を読むことを考えついた。

なにを読むか、ということが大事なのではなかったから、手あたりしだい、要するに読むものならなんでもよかった。父の本棚からだまって持ち出した世界戯曲全集のなかの何冊か(どういうわけか、漱石や鏡花の本棚には、鍵がかかっていた)、それに改造社の現代日本文学全集から、明治文学集というのを、これなら叱られないだろうと考えて、家から持ち出した。巌谷小波の『こがね丸』という犬の話だったかを読んでみたけれど、古いことばで、なにがおもしろいのかさっぱりわからなかった。結婚した叔母が残していった、岩波文庫の『小公子』を読んだのもあのころだった。若松賤子さんの「……なのでした」というところを「……なんかった」という口調の訳がおかしくて、私は話すときそのまねをして級友を笑わせたりしていた。いっしょに笑いながら、私は、漠然と、文体の特徴というようなことを考えていたのかもしれない。

学校の図書室は、それまで生徒は許可なしに入ってはいけないことになっていたのが、あるときから、時間をつくって、すこしでもいいから、本をお読みなさいと言われるようになった。きれいにワックスをかけた飴色の木の床の図書室におそるおそる入っていくと、西洋の本の匂いがして身がひきしまった。ほとんどが私たちには読めない外国語の本だったが、日本語の本もないわけではなくて、私のお気に入りは、登場人物名をナントカナニ吉というような、奇妙な日本名になおした（有名な）ディケンズ全集だった。

そのころの私は、母がきめた「子供は子供の本を読まなければいけない」という、意味のあるような無いような、読書についての規則を盲目的に信奉していて、その枠を破ってみようという才覚はなかった。たとえば父の世界戯曲全集にしても、ヴェデキントの『春のめざめ』は、同年配の少年少女が主人公らしい、だからこれなら大丈夫、とじぶんで決めて読んでいた。でも、なにがどうなのか、ほんとうのところいいもわるいもさっぱりわからなかった。

京都の大学院で農芸化学を勉強していた叔父の真山青果全集が、そのころ私と妹の寝室になっていた東の部屋の袋棚にならべてあった。大掃除でも手伝っていたのか、あるとき、それを発見して、あちこちページをめくるうちに、すっかりとりこになった。とくに『元禄忠臣蔵』に感動し、しばらくは大石内蔵助のことばかり考えていて、こんな戯曲を書ける真山青果という作家はどんなひとなのだろうとすっかり尊敬してしまった。

とはいっても、ぜんたいとしては乱読もいいところで、真山青果のつぎは大佛次郎の『鞍馬天狗』に夢中になって、これは学校にもっていって、おもしろいから読んで、読んでと、友人にたのみあるいた。じぶんの好きな本を、じぶんだけでなくて、友人にも読んでほしいと思う、そのことだけに夢中で、好きでもない本を読まされる人間（最大の犠牲者はひとつ違いの妹だった）の苦痛は想像もしたことがなかった。

ところが、読んで、読んで、といい歩いているともだちが、もうひとりいた。それがしげちゃんだった。あるとき、これ読んでみて、と言って、デュマの『三銃士』を貸してくれた。小学校二年生で別れたきりだったので、すぐになかよしになったのではなく、もう夏も近いころ、たぶん、その文庫本をつうじてだったように思う。ダルタニャンとアラミスとどっちが好き、というようなたわいない話から、雲をつかむような男性論に発展させたりして、仕事のあと、電車までの坂道を降りることもあった。

ひな祭りのある三月生まれというのがぴったりなふぜいのしげちゃんは、色白で小柄、しぜんに波をうった髪が首すじのあたりでくるくると巻いていた。ある日、分隊の休憩のときに同室の仲間たちを魚にたとえてあそんだとき、みんなが口をそろえてしげちゃんは小鯛と決めた。よくそろった、小さな白い前歯も、明石の海の小さな鯛を思い出させた。

彼女には東京の専門学校の英文科を卒業したあさ子さんという、五つ違いの、私たちの目にも美人とうつるお姉さんがいた。あさ子姉さんが言ってた、としげちゃんがいうと、兄も姉もない長女の私には、圧倒的な重みに感じられた。あさ子姉さんのすべてに全面降伏していたそのころのある日、しげちゃんが、とつぜん言った。あさ子姉さんが言ってたけど、『ケティー物語』は誤訳だらけだって。それは、私が小学校のときからずっと、生活の参考書みたいにしていた（あきれたことに、私は主人公のケティーが発明した、一種のかくれんぼうまで、妹や弟を叱咤激励して、やらせていたのである）アメリカの少女小説だった。それが、「まちがいだらけ」だというのである。「誤訳」ということばを、そのころの私がどれくらい理解していたのかわからないが、記憶にあるかぎり、それは私にとって、はじめての文学作品（翻訳ではあったけれど）の質についての会話だった。あの本は、英語で読めば、もっともっといいんだって。そう、しげちゃんはつづけた。私は息をのんで彼女の話を信じ、たぶん、それから、いつかは翻訳でなくて、あさ子姉さんのように、英語で本を読めるひとになりたいとこころのどこかで決めたように思う。

しげちゃんは、私たち一家が住んでいた阪急沿線の夙川《しゅくがわ》駅から、ふたつ神戸寄りの岡本から通っていた。お父さんは、もうなくなっていて、女ばかりの五人姉妹だった。娘三人で家が傾くっていうのよ、それなのにうちは五人だもの、と彼女はよく言った。三人で傾くのか、と私は彼女の博学に感心した。お姉さんがあるのはうらやましかったけれど、弟がいないのは、かわいそうな気もした。

岡本のしげちゃんの家をはじめてたずねたのは、戦争がおわってからだった。電車を降り踏切をわたってから、坂をのぼっていったところの、大きな敷地に建った平屋だった。そのころ私は戦前にいた東京のミッションスクールの専門部に進学していたのだが、彼女は結核で、その年の春から休学していた。菌は出てないから、うつらないよ、と、お母さんがつくられた綿入れの銘仙のちゃんちゃんこを着て、離れの部屋のふとんのうえに正座した彼女が言った。秋で、十一月一日の諸聖人の祝日をはさんだ休暇で帰省したのだったろう、私は、うつらない、というところだけ理解して、彼女の家の土蔵のうらの木になったという柿を、つぎからつぎへ食べていた。あいかわらずの、おさな顔は病気でもぜんぜん変ってなくて、包丁で柿をむく彼女の手の甲が、ふっくらして、ゆびのつけ根に四つ、えくぼのようなくぼみがあるのを、私はじっと見ていた。色黒の私の手は、年頃になっても、ごつごつして、女らしくないと叔父たちにからかわれていた。りんごは、ぐるぐる輪にむくけれど、柿はまず、よっつに切ってからむくものよ、と彼女が手を器用に動かしながら言って、また私は、えっ、そんなこと、私にはだれもおしえてくれなかったと思った。母さんがそう言った、と彼女は自信ありげだった。いまでも、りんごをむくたびに、柿を食べるたびに、私はそのときのしげちゃんの声の抑揚まで思い出す。

結核のひとなんて、いくらなかよしだって、お見舞なんか行かないほうがいい、今日のことはお祖母ちゃんには言っちゃだめよ。家にかえると母は不満げだったが、それが私にはいじわるみたいにきこえて、ちゃんとした返事はしなかった。

あと一年で専門学校を卒業というころ、女子大ができるらしいという噂が学生のあいだにひろまった。戦前、帰国子女や日本在住の外国人の教育にあたっていた有能なアメリカ人の修道女が、その大学を創立するためにアメリカから帰ってくると聞いて、私は勉強をつづけたいと思った。それまで、ヨーロッパの厳格な寄宿学校の伝統にしたがって、廊下や洗面所に鏡というものがなかった学校に、それでは若い娘たちがちゃんと育たないといって鏡をつけさせたり、空襲で焼けてしまったけれど、窓のひろい明るい自習室を建てさせたりしたこの修道女の名は、まるで神話じみて生徒たちの間で語りつがれていたからだ。大きなバラの花束がとどくのを待つように、私たちはその修道女の帰国を待ちわびた。

もと宮家から購入したという広大な渋谷のキャンパスではじまったあたらしい大学の授業は、どっしりした武家門と、進駐軍からゆずりうけたカマボコ兵舎の教室というちぐはぐな環境ではじめられた。一年休学して、しげちゃんはその大学にかえってきた。私たちは一年ちがいになったが、ふたりとも寄宿生だったので、またよく本の話をするようになった。

何年生のときだったか、アウグスチヌスの『神の国』の講義が大評判で、その授業の時間がちょうど昼食のまえだったものだから、寄宿舎の食堂の話題が、『神の国』の議論で溢れて、みんなが興奮してしまった。哲学をやっている人たちの、いろいろなことを高いところから言い切ってしまうようなところがおそろしくて、その授業に出てない私は、その騒ぎがうるさくていやだった。あるとき、おもいきってしげちゃんに、あの授業、ほんとうにそんなにおもしろいの、とたずねてみた。彼女はその講義をとっていたからだ。そうねえ、でも、『神の国』より『告白』のほうがずっといい、としげちゃんがこたえたので、私はなんとなく安心した。『告白』は、全部ではないけれど私も読んでいて、とくに、回心したアウグスチヌスが、わたしはじぶんの外にばかりあなたを探していたけれど、あなたはずっと私のなかにおいでになった、と神に祈る箇所が、わけのわからぬままに、すごい、と思っていたからだ。

まもなく私は熱にうかされるように賢治の詩にとりつかれ、しげちゃんは、みんなに隠れて小説を書いていた。彼女も私も（あさ子姉さんのように）英文科だったが、彼女は国文クラブにはいっていて、堀辰雄の世界にあこがれていた。私はPENという大げさな名の英文クラブのメンバーにかりだされて、バイリングアルの同級生たちにまじって、つたない英文のショートストーリーを書いていた。国文クラブのほうが、実のあることを書いているかもしれない、としげちゃんが言ったことがある。英語じゃ思うように書けないでしょう、ことばが自由にあやつれないから。私は、それはそうかも知れないけれど、日本語でものを書くなんて、それを同級生に読まれるなんて、とてもはずかしくて、てれくさくて考えられなかった。じぶんのなかのことが、みんなにばれてしまう。せめて英語だったら、下手な分だけ、カムフラージュできる。そう思っていた。

賢治なんて、としげちゃんはつっぱった。どうして日本語で小説を書かないの。そう言って、じぶんが書いた小説をしげちゃんは読ませてくれた。うすい鉛筆で、くるんくるんしたような特徴のある、変体がなまじりの字で書いてあって、原稿用紙百枚もあっただろうか。その厚さに、まず、私はとてもかなわないと思った。ふしぎなことに、いま、その小説のすじを思いだそうとしても、なにも思いだせない。恋愛小説で、なにか、透きとおった光のなかで、さいごは男女が思いをとげないで、別れてしまう話だった。どうしてこんな哀しいこと書くの、というと、堀辰雄がすきだから、と彼女は首をかしげて、目をつぶった。でも、賢治の詩のリズムはこたえられない、と私が言うと、私はシチュエーションのほうが、興味があるから、詩はわからないと彼女は言った。シチュエーションなんて、専門家みたいなことばは、あさ子姉さんからおそわったのかな、と私は感心して聞いていた。なにをしても、彼女は私よりおとなだった。

卒業が間近になって、将来の方針という段になっても、私は、十八歳のときにじぶんで選んで入信したカトリックの理想と現実のギャップにつきあたって、いま思えばとっぴょうしもなく抽象的な思考にかまけたまま、そのなかで溺れそうになってもがいていた。学生のひとりひとりを、厳格に、しかし丁寧に育てるというような校風が、そのころはうっとうしくて、私は一日もはやく、学校の枠から逃れたいとあせっていた。それでいて、卒業して関西の家に帰るのも、死ぬほどいやだった。家族との日常に戻るのが、黒い雲のなかに入れといわれたように、重く、息苦しく思えた。六年ちかい寄宿舎生活で、私はまるで遠い国から来た人間みたいに、日本の現実をはっきりと眺められなくなっていた。

卒業試験もおわり、がらんとした図書館に私は行って、在学中は逃げまわったラテン語文法まで読んだりして、時間をかせいだ。家に帰るよりは、一生、本にすがりついていていいと、だれかがそんな許可をくれないかと、そればかり願っていた。それでも、できたばかりの大学院に来ないかと先生たちに声をかけられても、十六年もいたこの学校からはできるだけ遠ざかりたいと思うだけだった。私たちの世代の女子学生の多くがそうだったように、本を読むことが、職業につながるとも考えず、結婚以外に女としてほこりをもって生きる道はすべてとざされていたような、たよりない、暗い、閉ざされた日々だった。

卒業も間近なある日、しげちゃんが、あたらしい校舎の四階まで私に会いに来てくれた。私の個室のドアが半びらきで、私はそれによりかかっていて、目のまえに私よりちょっと背のひくいしげちゃんがいた。どうして、そんなに反抗ばかりするのかな、と彼女は言った。私もわからない、でも、なにもかもいやだ、そう答えると、しげちゃんは言った。でも、だいじょうぶよ。私はあなたを信頼してる。ちょっと、ふらふらしてて心配だけど、いずれはきっとうまくいくよ、なにもかも。彼女の真剣な表情と、あかるい彼女の声と、ちょっとキザなあの言葉を、一年後によその大学の大学院へ行ってからも、フランスに留学してからも、イタリアで結婚してからも、なんども思い出した。

まるでそのつづきみたいに、そのとき、しげちゃんが低い声で言った。私は、来年卒業したら、たぶんカルメル会の修道院にはいる。えっ？　と私は問い返した。その修道会の戒律がきびしくて、一度、入会したら、もう自由に会うこともできなくなるのを知っていたからである。一日中、沈黙の戒律をまもり、食事のときもだまって聖書の朗読を聴きながら食べるという話は、中世みたいで恐ろしくさえあった。しばらくのあいだ私はあきれて彼女の顔を見ていた。修道院なんて。どうして小説を書かないの。そう訊ねることもできないで、私はぼんやりしていた。しげちゃんはしっかりした、でもふつうの声でつづけた。世のなかで、だれか祈ることにかまける人間がいてもいいんじゃないかと思って。顔があげられなくて、記憶の底に彼女の声だけが残った。

夫が死んだとき、北海道の修道院にいたしげちゃんから、だれからももらったことのないほど長い手紙がイタリアにいた私のところにとどいた。卒業以来、彼女からもらった、はじめての手紙だった。学校も病院も経営していない、ひたすら祈りだけに明け暮れる彼女の修道院がひどい貧乏で、シスターたちが食べるものまで倹約しているという話も、人づてに聞いていたが、しげちゃんの手紙にはそんなことは一言もふれてなくて、むかしのままのまるっこい書体で、私の試練を気づかうことばが綿々とつづられていた。こころのこもったそのことばよりも、なによりも、私は彼女の書体がなつかしかった。修道女になっても、まだおんなじ字を書いてる、と私は思った。もう変体仮名はまじっていなかったけれど、教室でとなりにすわったとき、私のノートのはしに、思い出したことなどをちょちょっと書きつける、あのおなじ字だったし、なによりも、むかし、あなただけよと言って読ませてくれた、うすい鉛筆で書いた堀辰雄ふうの小説の、あの字だったのがなつかしかった。手紙の終りのほうに、修道院では人手がたりなくて、冬のあいだの屋根の雪おろしがたいへんだとだけ書いてあった。しげちゃんの、ぷくぷくした色白の手が、しもやけになっていないかと私は思った。赤くはれた手で、ペンを持つしげちゃんを、私は想像した。

＊

ひと月ほど調布の修道院にいて、しげちゃんは北海道に帰っていった。ずいぶん元気になって、とだれかにつたえ聞いて、私はすっかり安心していた。暮のせまったある日、あさ子姉さんから電話があった。しいべが今朝はやく死んだの、これから私たち北海道へ行く。あさ子姉さんの声が、小さいころからの彼女の愛称をいって、そう伝えた。つぎの日の手仕事の準備もぜんぶととのえて、彼女は床についたのだったけれど、夜半に気分がわるくなって、朝までもたなかったという。あなたがいちばん、あの子のことを思ってくださったような気がして、とあさ子姉さんの声がくぐもった。

調布で会ったとき、大学のころの話をして、ほんとうにあのころはなにひとつわかってなかった、と私があきれると、しげちゃんはふっと涙ぐんで、言った。ほんとうよねえ、人生って、ただごとじゃないのよねえ、それなのに、私たちは、あんなに大いばりで、生きてた。

しげちゃんが、ただごとでない人生を終えて昇天したのは、それからひと月もしないうちだった。

父ゆずり

おまえはすぐ本に読まれる。母はよくそういって私を叱った。また、本に読まれてる。はやく勉強しなさい。本は読むものでしょう。おまえみたいに、年がら年中、本に読まれてばかりいて、どうするの。そんなふうに、このことばは使われた。それからずっとあと、母がもう私たちを大いばりで叱らなくなってから、じつは若かったころ、自分もおなじことばで母親に叱られたのだというのを聞いて、なあんだと笑ってしまった。われを忘れて読書に没頭する、という意味だったのだろうけれど、母はこの表現を、なにか主体性のないこととして、批判的なニュアンスで用いたので、私は、「本に読まれる」のは、はずかしいことだという意識をもつようになった。それでいながら、すこしも改心するきざしはなくて、こころのどこかで母の視線を気にしながら本に読まれつづけて、ここまで来たような気もする。

大阪商人の中でそだった祖母は、母よりももっと即物的な理由で私の本好きを叱った。本ばかり読んでると、女はろくなことにならない。(女は、というところを「人間は」に変えると、それは、あたっていたかもしれない。)そして、夜、床にはいって本を読むと、電気がもったいない、と小言をいい、パチンと壁のスイッチを消して行った。おばあちゃんのけち、と私はうらめしかった。

その祖母を関西にのこして、私たちの家族が東京に移ったのは、私が九歳のとき、それ以後は、夏、冬、春の休暇だけ、祖母のところにそろって帰ったので、彼女にあかりを消されるのは、学校の休暇のときだけになった。ある年頃からは、祖母が電気を消しにくるのを、あたまのどこかで愉しみにするようになった。とくに、神戸からときどき家に泊まりに来た、本好きで仲のよかったいとこのふうちゃんとは、わざわざふたりでふとんの中に電気スタンドを持ちこんで、汗びっしょりになって本を読んだりした。もう、おばあちゃんが来る、もう、おばあちゃんが来る、と心のどこかでひやひやしていて、それがもうそろそろ来たっていい時分だ、に変るころには、はやく来ないともう暑くてやりきれない、の思いばかりで、あんなことまでしてなにを読んだのか、本の中身についてはまったく記憶にない。ただ、夏ぶとんを頭からかぶったあの暑苦しさと電球のまぶしさだけは、はっきり憶えているのだが。

東京での母は、家がせまくなった分だけ、また、祖母がつぎつぎと考え出す仕事がなくなった分だけ、私たちの行動に目を光らすようになった。本を読むひまがあったら算数の勉強でもなさい、としじゅう私たちを見張っていたけれど、ときには、ほんとうは、わたしも本がだいすきなのよ、この家におよめに来てから、おばあちゃんがいやがるから本を読まなくなっただけ、などと、とんだ告白をすることもあったから、私の中のどこかで、母の小言はそれほどこわがらなくてもいいのだ、とたかをくくっていたかもしれない。

東京の学校に移ったことが、私の子供時代にとって決定的なこころの傷になったのはたしかだった。学校から帰るとすぐ玄関にカバンをほうりだしてあそびに行く裏山はない、大阪弁だといって級友やら教師たちにまで白い目でみられる、と悲しいことばかりのなかで、私たち姉妹が愉しみにしていたことがひとつあった。それは、一年に二度、いま考えるとたぶんおとなたちにとっての御中元と御歳暮の時期だったろう、私と妹にといって、本をもってきてくれる奇特な人物があらわれたことだった。それは、フジムラ氏という、なんでも私たちの家とは祖父の時代から深いつながりのある人物（二世ではなかったけれど、アメリカで勉強していたフジムラ氏は英語が堪能で、祖父がアメリカに旅したとき、カリフォルニアで通訳をしてもらって意気投合し、おねがいして日本に帰って、彼の会社に入ってもらったとかいうのだった）の夫人だった。ころころとふとった、薄色の着物を着て、きれいな東京ことばをゆたかな声量のソプラノで話す彼女は、明るく、さっぱりした様子が新鮮だった。

おばさんがえらんだものだから、おもしろくないかもしれないわね。どんなご本がいいのか、わからないのよ、かんべんしてちょうだいね。毎年、それぞれの季節がくると、フジムラ夫人はそういって、ちょっと重そうな本の包みを、麻布の家のせまい応接間のテーブルにのせた。たしかに、二冊だろうな、私の分と妹の分と。そうに決まっているのに、ごあいさつにと呼び出された私たちはその包みに熱っぽい視線をそそぎ、夕方になって、フジムラ夫人が、あーら、こんな遅くまでおじゃましちゃって、とほがらかな声の余韻を残して内玄関から帰っていくまで、一刻もはやく包みの中身を見たくてうずうずしていた。

本がかならず二冊だったように、フジムラ夫人の本は、毎年、おなじシリーズものだった。小学三年生向きとか、四年生向き、というふうに学年がタイトルに明記されていて、そのあとに、『おもしろ話集』とか『ふしぎ話集』といった題がついている。話そのものはなんとも月並みで平凡で、ときには子供の私たちにも、はっきり、これはかなりくだらないぞ、と思えるしろもので、母たちの評判はけっしてかんばしくなかったのだが、それは、フジムラ夫人が子供の心理を見抜く天才だということに、おとなたちがまったく気づかなかったからだった。まるで、なにもかもお見通しとばかりに、フジムラ夫人は、こちらが三年生のときには四年生向きを、四年生のときは五年生向きというふうに、かならず一年うえの学年向きの本をせっせと選んでくれた。そしてそのちいさな心づかいが、東京に来てしぼんでいた私の気持を、そっくりかえったカエルみたいにふんわりとふくらませてくれた。一年上の人たち向けの本でも、じぶんはすらすら読めるんだ。それもたったひと晩で。

だが、ひと晩で読んでしまうと、つぎの本が読みたくなる。うっとうしい顔をして、もう読んじゃった、というと、母は、私の本を読む速度がはやすぎるといって、こわい顔をした。ゆっくり、おいしいものを食べるときみたいに、だいじに、嚙むようにして読むものよ、おまえみたいにはやく読んでしまったら、きっと、かんじんのおいしいところを読み落しているにちがいないわ。よく嚙んで読んでちょうだい。そんなはずない、と私は口答えした。ぜんぶ、読んだわよ。読み落しなんて、してない。すると母もむきになった。そんなはずない。そんなにはやく読めるはずないわよ。私も必死だった。ぜんぶ読みましたっていうのに。すると母がおどかした。こんどから、本を読んだら、なにが書いてあったかママが訊ねますから。でも、けっきょくのところ、いちどもそんな恐ろしい試験などされたことはなかった。

母が、いっぷう変った本を、ある日、出先から持って帰った。出先、とここでいうのは、その日出かけたのが、母がいつも行く銀座とか、母の姉にあたる目黒の伯母のところとかではなくて、ただ、ちょっと、というだけで、はっきりと目的地を告げなかったからだった。そのこと自体、私には奇妙に思えて、どこへ行ったのだろう、と思っていた。

紫と黒が主に使われた地味な表紙の本で、出版社もふだん見なれているものではなく、とても子供向きに作られたようではなかったのに、内容は童話みたいな短篇集だったけれど、どれもこれも悲しい話ばかりなのがふしぎだった。ながい道をあるいてチューリップの花が咲いている郊外の家を、心配ごとがある母親がたずねる話があった。そこにはやさしいおばさんがいて、その母親に、いっしょにお祈りしましょうという。それだけの話だったが、私には、ぜんたいがもの足りなかった。なにが足りないのかは、そこまではわからなかったが、ただ、なんとなく、母にも心配ごとがあって、この本を作っている人たちのいるところに、父にも伯母にも聞いてもらえないことを相談に行ったのではないかと思えた。どこに行ったのか、どんな人に会いに行ったのか、母はその日のことを、生涯私たちには話してくれなかった。

*

私の本好きは、たぶん、父ゆずりだった。祖父の家業をむりやりに継がされた父の仕事ぶりを、祖母はいつももの足りなく思っていて、それを彼の文学好きのせいにしていたふしがある。そして、祖母の不満な分だけ、父はなおさら読書に没頭したように思う。子供ぎらいで、家にいると機嫌のわるいことが多かった父が、寝床に横になって本を読んでいるときだけは、おだやかな顔をしていた。

私が六歳のとき、父は、当時そう呼ばれた世界一周の旅をした。船でウラディヴォストックにわたり、そこからシベリア鉄道でモスコウを経てヨーロッパの国々やイギリスをたずね、さらにロンドンから船でアメリカに行き、大陸を列車で横断したあと、また船で太平洋を渡って帰るという、いまでは考えられないほどの、ゆっくりした旅行だった。行った先々で、父は日本で待っている人たちにおみやげを買った。とくに最後に寄ったカリフォルニアからは、大きな木箱いっぱいのサンキスト・オレンジがとどいた。私や妹が木箱のそばに行くと、あぶない、といわれるほど、大きな荷造りだった。私と妹のためだけのおみやげというのも、父は立寄った国々でこまごまとしたものを求めて、持って帰った。

そんなおみやげの中に、一冊のふしぎな本があった。その本はドイツ製で、子供のための絵本だったが、絵ではなくて、白黒の写真で、どうやら二匹の犬の話が語られているらしかった。らしかった、としか言えないのは、説明文のドイツ語が、私たちにはまったく読めなかったからである。

二匹の犬は、いま考えると、ビーグル犬のような、毛のみじかい、耳のながい、短足の犬だったが、それが二匹とも、人間のように、服を着せられ、二本あしで立たされて、買物に出かけたり、病気になってベッドにはいっていたり、あげくのはてはナイトキャップをかぶせられて、本を読んでいたりした。私と妹は、はっきりいって、この本がきらいだった。絵ではなくて、写真なのが、どういうわけか、うとましかった。犬を人間のように見立てているのも、わざとらしくて、いやだった。犬だって、あんな格好をさせられて、けっして愉快ではなかっただろう。さらに、ドイツ語で書かれていて、まず、本の題名からしてちんぷんかんぷんなのも、しゃくにさわった。それなのに、私たちは、ながいこと、この本からはなれることができなかった。たくさんの本が、ともだちに貸して返ってこなかったり、背表紙がぼろぼろになっておとなに捨てられたりしてしまうなかで、この本だけが、何年も生き残った。戦争で、だんだんあたらしい本が買えなくなると、ますますその本は、いばっているようにみえた。なくした、と思っていても、また出てきて、いやな本だなあ、と思いながら、また手にとって、私たちは開いて見た。病気のときなど、読む本がなくなると、「あいつ」が出てきた。「読まれる」危険はない本だったけれど、いまでも、あの本のことを考えると、なにかうっとうしい気分になる。

この本は、おそらく写真でつづった絵本というのが、当時にしてはひどくめずらしくて父の目にとまったのだろうけれど、そして、父にしたら、ずいぶんハイカラな本を子供に持ってかえったつもりだったのだろうけれど、保守的な子供の気には入らなかったわけだ。私も、妹も、あの本の話を、どんなにあの本がきらいだったか、それなのに、いつまでも離れることができなかったという話といっしょに、とうとう父にはしたことがなかったと思う。したところで、どんな本だったか、父はおぼえていなかっただろう。

父がくれた本というのは、すくなくとも記憶にあるかぎりではこの奇妙な犬の本が最初だったが、ある年のクリスマスに、大判のうつくしい、やはり子供のために書かれた『平家物語』をもらった。小村雪岱《こむらせったい》という日本画家の挿絵が数葉はいった、クリーム色がかった用紙をつかった、かなり贅沢な本だった。妹は『アンデルセン童話集』をもらって、私の「地味」な本にたいして、その派手さが、はじめはちょっとうらやましかった。

クリスマスの贈物といっても、いまのように、父親が自分で手わたしてくれるわけではないし、クリスマス・ツリーを飾ったわけでもなくて、クリスマスの朝、お茶の間に降りていくと、床の間にかざってあるだけだった。私たちを起しにきてくれた叔母から、「プレゼント」がある、という話だけは聞いてどきどきしながら二階から降りてくるのだったが、贈物をじっさいに見ると、たとえようないてれくささ、に襲われた。あっとよろこびの声をあげるにはあげる。つぎの瞬間には、勇気をかきあつめて、食事をしている父に、両手をついてお礼をいう。パパ、ありがとうございました。おしりがバッタみたいに突ったたっていないか、ちゃんと両手を畳につけて、正座しておじぎをしているかどうかは、祖母がよこから監視していた。

父は、そのとき、私に、この本は本文も大切だが、さし絵がいいのだ、というようなことを、言った。小村雪岱という画家の名が、それ以来、私にとって、忘れられない名前になった。雪岱、という漢字が読めるようになって、雪岱がえらい日本画家だということも、その本でおぼえたのだった。表紙に使った和紙が、手のなかですこしずつケバだって行くのも、なにかこのもしい本だった。

清盛が晩年、うたがいぶかくなって、少年たちを女の子のようによそわせ、京の町に放って、スパイをさせた話があった。赤い着物を裾みじかく着て、三々五々たむろする、

「かむろ」とよばれた黒髪の子供たちの絵が、ページいっぱいに描かれていて、私はこんなうつくしいものがこの世にあったのかと、何度もその箇所をひらいて、行ったことのないむかしの京の町を想像した。

いちばんこころを動かされたのは、大原御幸のくだりだった。とくに、後白河院が建礼門院と悲しい思い出話をするという物語そのものが、私をあの透明な悲しみの世界にすっとさそいこみ、何日も、たぶん何年も、小学生なりの寸法でしかなくても、私は平氏の滅亡を、この本のなかでかぎりなく哀しんだ。だれの文章だったのだろうか。そして、まるであの日、自分も後白河院の一行に連れそっていたみたいに、私は、裏山から仏壇にそなえる花をもって降りてくる建礼門院の声を、澄みきった山の空気のなかに、はっきりと聞いたし、二位尼が安徳天皇を抱いて極楽にまいりましょうといいながら入水した物語があわれで、私は小さい弟を抱いて死のうとする夢をみたりした。ながいあいだ、大原の寂光院という庵の名がこの世のどこよりも、ろうたけた空間の名として、私のなかでちらちらと燃えつづけた。

島崎藤村の『幼きものに』という本を父からもらったのは、もう女学生になってからだったと思う。藤村が、たしか子供にあてて書いた書簡がはいっていて、その文体は、たしかに、後年、私がフランスに留学していたころの父がくれた手紙に読みとれた。この本をくれるとき、父は、これは大変な文章だよと説明をつけた。自分はもう幼くないと信じこんでいる年ごろだったから、どうして、こんなに活字の大きい本をくれるのか、はじめは不服だったが、読むうちに、父の解説のせいもあったのか、だんだん、その文章にひきいれられていった。これほど「やさしい」文章が、いい文章というのは、どういうことなのだろう、とそれがいぶかしく、父はかなりむずかしいことを私に伝えようとしている、とまばゆい気がした。最近になって、ある夏、小諸を通ることがあって、記念館に寄ると、展示ケースの中にこの本があって、しばらく前を離れられなかった。下半分が白で、上半分があかるい青、その青の部分に雪が降っているような表紙を見て、それがぼろぼろになってちぎれるまで、大切に（ちぎれたのだから、大切に、とはいえないかもしれないが）、持ちあるいていたのを、思い出してなつかしくなった。

父の蔵書のなかに藤村全集があったと知ったのは、父が死んで何年もたってからだった。父と、この作家のはなしをしたことがなかったので、全集は意外だったが、おそらく私がイタリアにいた、彼の最晩年に手に入れたものではなかったか。父は、年をとって（といっても、いま、私はその時代の父の年頃をとっくにすぎてしまった）、青年時代にむさぼり読んだ藤村を、もういちど、読みたかったのではないか。それも、私小説ふうの『春』とかあのあたりの作品で、『夜明け前』を読むためではなかったような気がする。

藤村について父と話したことはなかったが、鏡花と鷗外のことは、よく父と話した。鏡花と父の関係は、ほとんど『婦系図』につきていて、それも新派の芝居につながっていたようだ。師に背いていっしょになった主税とお蔦に、親の反対をおしきって結婚した自分たち夫婦を重ねていたきらいが、かなりある。鏡花のえがく女を、母にもとめていたふしも、否定できない。なまみの母にしては、めいわくだっただろう。夏の夕方など、母が風呂からあがって鏡台のまえにいると、父が、おい、「似合いますか」、といってみろ、と茶の間から声をかけたりした。『眉かくしの霊』で眉を落とした女幽霊がいう「似合いますか」を、私たちまでがおもしろがって、あたらしい服をつくってもらったときなど連発し、おまえたちでは興ざめだと、父はそっぽを向いた。

鏡花について、女子大生だった私に父があれこれいうときは、成人した娘に気をゆるしたようなところがあったが、鷗外は、彼の国語であり、ときには、人生観そのものといってよかった。父は、外国文学を勉強していた私のことを、日本語がだめになるといって、たえず不安がった。『即興詩人』を読め、と何度いわれたことだろう。あまりたびたびいうので、そのときによって、ちゃんと読んだこともあるし、読みました、とか、読んでます、とかいって、ごまかしたこともあった。『即興詩人』は意訳・誤訳が多くて、原文には忠実でないそうです、などとどこかで読んだことを受け売りして、ばか、とたしなめられたこともあった。ローマに留学したとき、最初に父からとどいた小包は、岩波文庫の『即興詩人』だった。「この中に出ている場所にはみんな行ってください」という、ほとんど電報のような命令がページにはさんであった。

父が一九七〇年に六十四歳で死んだとき、私は岩波の日本古典文学大系の揃いを、ごっそりもらった。父は会社をやめたら、一冊ずつ、読んでいくつもりだったのだろう。ほとんど、ページを繰った痕跡のないなかで、平家物語だけは、しっかりと読んだあとがあった。平家物語で私はもういちど父につながったような気がした。

幼いころは、父が本を買ってくれて、それを読み、成長してからは、父の読んだ本をつぎつぎと読まされて、私は、しらずしらずのうちに読むことを覚えた。最近になって、私が翻訳や文章を発表するようになり、父を知っていた人たちは、口をそろえて、お父さんが生きておられたら、どんなに喜ばれたろう、という。しかし、父におしえられたのは、文章を書いて、人にどういわれるかではなくて、文章というものは、きちんと書くべきものだから、そのように勉強しなければいけないということだったように、私には思える。そして、文学好きの長女を、自分の思いどおりに育てようとした父と、どうしても自分の手で、自分なりの道を切りひらきたかった私との、どちらもが逃れられなかったあの灼けるような確執に、私たちはつらい思いをした。いま、私は、本を読むということについて、父にながい手紙を書いてみたい。そして、なによりも、父からの返事が、ほしい。

ベッドの中のベストセラー

麻布に住んでいたころ、私とひとつ違いの妹とは、二階の洋間に大きなベッドを二台ならべて寝ていた。八畳あるかないかの部屋だったから、ベッドだけでいっぱいになって、あとは小さな洋タンスがどうにか足もとにおけるぐらいの余裕しかなかった。部屋もせまかったけれど、ベッドも、女の子らしい、やさしい感じの家具ではなくて、モダニズムかなにかしらないが、金属製のふとい桟がついたごついものだったから、はじめて寝た晩など、私も妹も、大川に流れ出したサザブネみたいにたよりなかった。ベッドで寝たいといいだした私たちのために、祖母が関西の家の蔵にしまってあったのを送ってくれたのだが、もとをいえばなにごともハイカラずきの父が、結婚したばかりのころ、自分たち夫婦のためにアメリカからわざわざ取りよせて、すぐに飽きてしまったのだった。その当時にすればベッドを使うことだけでもめずらしかったに相違ないのだけれど、それについたやはりアメリカ製のマットレスが、スプリングのはいったぶあついもので、小学生の私や妹が裏返そうとしてもびくともしないで、かえってこっちが跳ねとばされて、ひっくりかえったりした。クマの家に迷いこんで、おとうさんグマの椅子にすわって、これは大きすぎると思うメアリさんのように、なにもかも大きすぎて、こんなことならベッドで寝たいなんていわなければよかったと、私たちはときどき後悔した。

その部屋のとなりは、小さい弟の部屋だったが、まだ学校にあがってない彼がそこにいるのは昼間だけで、夜はまだ両親といっしょに日本間で寝ていた。日本間と、私たちが寝ていた洋間のあいだには、たよりない板張りのドアがあった。たよりなくてもドアはドアだったから、おやすみなさいをしたあとは、もう日本間のほうに行ってはいけないことになっていた。もし、なにかあったら（といっても、夜中に私か妹のどちらかが寝とぼけて大きな声をだしたり、中耳炎をおこして急に耳が痛くなったりする程度のことだったが）、そのドアをこちらからどんどん叩いて、母に起きてもらうか、さもなければ、私たちの部屋のすぐ外にあった階段を降りて、台所を抜けたところにある女中部屋に行くしかなかった。だから、私と妹は、たえまなく喧嘩をしていたけれど、この寝室にはいると、「虐げられし人びと」の連帯感が生まれた。

その部屋の廊下側のひろい窓には摺りガラスの戸がはまっていて、廊下をへだてたむこうが、こんどは庭に面した窓になっていた。私たちの家は小高い丘の上に建っていたから、窓から見える景色は大きくひらけていて、古川が流れる谷間をへだてたむこうの丘には、そのころ伝染病研究所と呼ばれていたゴシック風の茶色い建物が見え、そのとなりに、私たちの通っていたミッションスクールの青い尖塔がケヤキの梢のあいだに見えかくれしていた。いちばん学校がきらいになった一時期、それはちょうど日米戦争がはじまった直後のことだったのだが、私は、夜、ベッドに入るたびに、ああ、あしたの朝、目がさめて、あの学校が火事で燃えてしまっていたら、どんなにせいせいするだろうと天に祈る気持で、そっと妹にもうちあけると、彼女もまったく同感だといった。その塔は、燃えてほしいと思いつづけたあいだ、ずっと健在だったのに、私たちが疎開して東京を留守にしていた一九四五年の三月の空襲で、ほんとうに燃え落ちてしまった。

ふたつ並んだベッドで、私たちはずいぶんたくさんの本を読んだ。妹は、本なんて大きらい、といいながら、それでもほかにすることもなかったから、勉強のあと、寝る時間がくると、ベッドにはいって、ふたりとも本を読んだ。

ある年のクリスマスに妹は父から『グリム童話集』をもらった。私は『日本童話宝玉集』で（どちらも冨山房刊だったような記憶がある）、ふたりは、仲のいい晩はおたがいの本を交換しあって読んだ。二冊とも、どっさりさし絵がはいった豪華な本で、厚さは七、八センチもあったのではないか。重くてやっと両手で支えられるほどだったから、これもアメリカ製の大きくて固い羽根枕（どうして羽根枕があんなに固く、あんなに重かったのか、いまだにわからない）を、ベッドの金属のヘッドボードにもたせて、半分すわったかたちでその本を読んだ。おねえちゃんは自分の好きな箇所をみつけると、すぐ読んで聞かせる。妹はそういってうるさがった。学校で読本を読ませられるのは、たいくつできらいだったけれど、ベッドで妹に読んで聞かせるのは、おもしろかった。ほんとうにいやなとき、妹は、両耳に指をつっこんで栓をすると羽根枕の下に頭をうずめて、聞くまいとした。そのころ、ラジオで聞いた落語に、義太夫じまんの家主がいて、自分の語りを聞け聞けとうるさくてしかたがない、あまりのうるささに店子は土蔵に逃げこむのだが、家主は窓にしがみついて、中にいる店子の頭の上から「語りこんだ」という話があった。「語りこまれた」店子は苦しんで「七転八倒」するのだが、それを聞いていた妹は、わっ、おねえちゃんみたい、と口をとがらせた。母は笑って、いやあねえ、パパも私に読んで聞かせたがるのよ。あれは、うるさい、と妹に賛成して、私をがっかりさせた。

妹の『グリム童話集』に、「ぞっとすることを知らなかった男」という題の話があった。「ああ、ぞっとしてみたい、ぞっとしてみたい」とあんまりいうので、家族がいやがって、男は、ぞっとすることを求めて旅に出る。旅の途中、じつにさまざまな恐ろしい目にあうのだけれど、男はぜんぜんぞっとしない。とうとうぞっとしないまま家に帰り、およめさんをもらうのだが、夫の口ぐせに業を煮やした彼女が、ある夜、大きなバケツに小ザカナをいっぱい入れて、水ごとザブンと寝ている旦那の頭にぶちまける。とたんに男はベッドからとびおきて、「ああ、ぞっとした。ぞっとしたぞ」といってよろこぶ、という話だった。私も妹も、この「ぞっとする」という、ふつうの日本語の感覚からちょっとずれた表現がひどく気に入って、なにか機会があるたびに、ねえ、ぞっとした？　とたずねあって、おもしろがった。

それから、「ラプンツェル」という話があった。ある家のおかみさんが、おなかが大きくなって、どうしても、となりの家の畑にある菜っぱが食べたくなった。その野菜の名がラプンツェルというのだったが、となりは魔女の家だったので、旦那は、とんでもない、とおかみさんを叱る。それでも、食べたい、食べたいとおかみさんがいうので、とうとう旦那が塀をこえて、菜っぱを盗むが、魔女に現行犯でつかまって、生まれた赤ん坊を彼女にわたす約束をさせられてしまう。女の子が生まれて、名はこれも約束を守ってラプンツェル。まもなく魔女にさらわれた彼女が定石どおり、通りかかった王子様に救出される話だったが、ラプンツェルというような複雑な外国語の名を、小学生だったあのころの私たちがどうやって覚えこんだのか、わからない。声を出して読んでいるうちに、耳にはいってしまったのだろうか。つい最近、これも還暦をすぎた妹にその本の話をすると、彼女もラプンツェルという名をはっきり覚えていた。念のため、書店で文庫本の『グリム童話集』をそっとひらいて調べてみたら、やっぱりラプンツェルで、私たちの記憶は正しかった。

おとなになったら、なにをしよう、と妹と話したのも、あのベッドの中だった。私が花屋さんか本屋になりたいというと、妹は、お姫様になって、香水の噴水のある家に住んで、一時間ごとに着替えられるほどたくさん洋服を持ちたい、と宣言した。私はびっくり仰天して、へえ、それは忙しくてたいへんだよ、一時間に一回着替えるなんて、と大声をあげた。というのも、家族そろってどこかに出かけようというとき、さあ、服を着替えていらっしゃいといわれると、私は身も世もはかなみたくなるほど悲しかったからである。両親とも、子供たちには地味すぎるほど地味な服装をさせる主義だったが、それでもよそいきの服を着ると、私は自分らしさが減るような気がして、ひどく心細かったし、着なれない、よごしてはいけない服が、なんとなくごわごわして身にそぐわないのもいやだった。それなのに、妹はとなりのベッドですました顔をして、一時間に一着なんてとんでもないことをいう。いまその話を彼女にしたら、いやだ、そんなことぜったいに宣言した覚えないわよ、と否定するにきまっているのだけれど。

私がもらった『日本童話宝玉集』には、諸国昔噺というようなものがぎっしりつまっていたが、もうすぐ終りというあたりに、奈良時代、琴の名人の家に生まれた少年が主人公の創作童話がはいっていた。どういう理由があったのか、少年は、母親とふたり、山の中でつましい暮しをしていて、動物にかこまれて大きくなるのだが、あるとき、サルの群れといっしょに大木に登って、細い枝のあいだから夕陽にかがやく都を見てしまう。夢のようなその光景に少年はたましいを奪われ、いつか自分も都にたどりつきたいと心にきめる。そして、いろいろなことがあって、赤ん坊のとき故あって別れた弟にめぐりあったのだったか、彼も琴の名人になって天子様にみとめられるのだったか、ハッピイエンドで話は終っていた。その物語のなかで私にとってなによりも大切に思えたのは、少年が木の上から垣間みた、夕陽にきらきらとかがやく奈良の都を描いた場面だった。やがて病身だった母親が死に、山を降りた少年が、大仏殿の屋根の瓦が白くひかるような月夜に都にたどりつくのだが、私はそんな光に自分もつつまれてみたいと思い、自分にとっての「奈良の都」はいったいどこに登れば見えるのだろうとあこがれた。

もうひとつのベッドのベストセラーは、そのころ、私が学校のバザーで買った一冊の本だった。いつものように、母にねだって買ってもらったのでも、父に贈られたのでもなくて、バザーの日のために特別にもらったお小遣いで買った本だったから、ほんとうに自分のものという気がした。白黒の写真（いま考えると、ローマのサン・ピエトロ広場の噴水だったように思えるのだが）をカバーに使ったフランス綴じの本で、子供用の本にしてはずいぶん地味な装幀だった。

題はたしか『新子供十字軍』。おなじタイトルでマルセル・シュウォッブの有名な作品があるけれど、私が買った本は小さなカトリック出版社から出ていて、著者はたしかイタリア人だった。ピエモンテ州の山村の子供たちが、ある日、いつものように、山の牧草地で羊の番をしていると、一匹の羊が土手からすべり落ち、子供たちのまえにひざまずく。彼らはそれを神さまのお告げと信じこんで、ローマまで巡礼に行くことにする。もちろん親たちにはだまって。子供たちは、お昼に食べるパンを倹約したりして食料がたまると、出発する。当然のことだが、大半の子供は、途中でさびしくなって泣き出したり、疲れて歩けなくなったりして、家に帰ってしまうのだけれど、いいだしっぺの男の子とその妹だけが、何十キロだかを歩きとおしてトリノの町にたどりつき、おとなたちに助けられて、巡礼の特別列車（いまなら、巡礼のパック旅行だろう）に乗せてもらい、ついにローマまで行ってしまうというのが物語だった。こんなおもしろい本は読んだことがない、と思うほど、私はその子たちが歩いた長い道のりにあこがれ、あんまり何度も読みかえしたので、やがて本がぐさぐさになってしまった。そうなってからも、ながいこと、この本はベッドの周辺をはなれなかった。

私たちの家の、学校に行く道とは反対側に三百メートルほど行ったところは、崖っぷちのようになっていて、そこに立つと、ずっとむこうの丘に、夕陽があたると窓ガラスが燃えるように赤くなる、巨大なビルが見えた。子供十字軍ではないけれど、私は、どうしてもその建物まで自分の足で歩いて行ってみたい気がした。おべんとうをつくってもらえば、あそこまで行ける。ある日、そういって妹を誘うと、彼女はあきれたように、いやっ、あんな遠いところ、と私の顔をみつめた。それに、行ってどうなるのよ。そういわれてみれば、なるほど彼女のいうとおりだったし、私は気のきいた返事もできなくて、その丘まで歩くのをあきらめた。ひとりだけで行くのには、ちょっと遠そうで心細くもあった。だいいち、そのビルのある丘がたとえば電車でいえばどの辺なのかも、見当がつかなかった。

戦争のあと、その家から三田の丘にある大学院に通うことになって、あるときぐうぜん、その建物に出会ってびっくりした。子供のとき、麻布の高台に立って、いつかあそこまで行きたい、行きたいと、夕陽にかがやくのを眺めていたそのビルが現実に目のまえに現れたからでもあったが、それよりも、車寄せのあるりっぱな玄関には特許局と大きな看板がかかっていて、どう見てもひどく平凡でつまらなそうな建物だったからである。おべんとうをもって、などとまるで遠い旅の目的地みたいに思っていたのに、家から歩いて、たった三十分ほどのところなのも、拍子ぬけだった。

私の中には、旅に出たいと、遠くの土地にあこがれつづけている漂泊ずきの私と、ずっと家にいて本を読んでれば満足という自分とが、せめぎあって同居しているらしいのだが、私が「巡礼」ということばに目覚めたのは、たしかにあの『新子供十字軍』だったように思う。大学を出てからフランスやイタリアに留学したのも、あの本の記憶がどこかで作用していたのではなかったか。最初、フランスに行くと言い出したときも、妹は、なんでまたそんな遠くまで、という顔をして船で神戸を出発する私を見送り、自分は日本に残ってさっさと結婚してしまった。

小学生のときに読んだその本の中に、どうしても実体が摑めないことがふたつあった。ひとつは、ローマまでたどりついた小さなきょうだいの叔父さんが、ヴァチカンのシスティーナ聖堂のミケランジェロの最後の審判の壁画を見て、感心する場面で、密輸の常習犯だった叔父さんは、自分の犯した罪もいつかああやってキリストに裁かれるのかと、震えあがる。ところが私には、密輸という言葉の意味もそれにからんだ罪の重さということも、さっぱりぴんと来なかった。イタリアに住むようになってから、スイス国境に近いロンバルディア州の山村に友人をたずねる機会がなんどかあって、そのあたりでは、密輸という言葉が、私たちの国の税関でささやかれるような、たとえば麻薬に関わる犯罪といったおそろしいニュアンスのものとは、ぜんぜん違っていることがわかった。そのあたりの人たちから聞いたところによると、つい、三、四十年まえまで、そのあたりで密輸というと、ほとんど若い人たちのスポーツみたいなものだったらしいというのだった。そんな村のひとつである夏、休暇をすごしたとき、日が暮れると、村に覆いかぶさるようにそそりたった高い山の中腹を、一列にならんだ懐中電灯の列がチラチラすることがあった。また、密輸の連中がやってるぞ、と村の人たちはそれを見て、まるでサッカーのテレビ中継を眺めるみたいに、愉快そうに話しあっていた。コーヒーや砂糖、タバコなど、税金のせいでイタリアのほうが値段が高い商品を密輸するのが彼らの目的で、もちろん奨励はしないけれど、若い衆のいい小遣いかせぎになるということで、税関兵も本気では追いかけないというのだった。でも、それから数年して、その村でも状況は急変したと聞いた。南から北上してきたマフィアが組織的に密輸団をあやつるようになって、私が見たような牧歌的な密輸はもう存在しなくなったのである。税関兵が、密輸「業者」に発砲して、青年がひとり死んだと報じられたのも、そのころだった。

『新子供十字軍』でもうひとつ私がわからなかったのは、小さなふたりきょうだいがトリノの町の人たちに助けられて、その家で夕食にふるまわれたスープの話だった。山の子供たちは、その家のスープが薄いのでおどろく。ぼくたちの家で飲むスープはうんと濃いから、スプーンを入れるとそのまま皿のなかに突ったっているほどだ、とおにいちゃんのほうがいうのだが、それがどういうことなのか私には不可解だった。スープといえば、たまに父に連れられて行く銀座の資生堂の、コンソメとかポタージュしか考えられなかったからだ。しかしこのなぞも、自分がミラノに住むようになって、ミネストローネやビュゼッカなど、野菜や牛の胃袋を刻んで、インゲン豆やコメといっしょに、ブタの皮下脂肪や仔牛のヒザの骨なんかをダシにぐつぐつ煮る、ロンバルディアの田舎料理のスープ類を自分でつくるようになって、なるほど、と謎がとけた。これならたしかにスプーンが立ってしまう。

愉しかったベッドの中の読書が、一時、中断したことがあった。それは、私が西日のあたるせまい女中部屋で、母にかくれて、もと警視庁の刑事だったという人物が書いたむごたらしい「実話本」というのを盗み読みしてしまったからだった。玉の井バラバラ事件という猟奇的な事件を、文体らしいものもなく、あからさまに記した本で、せまい部屋の出窓の下に積みあげたふとんに背をもたせ、半身をその中にうずめて、私は半分、おとなに隠れてなにかをしている自分に、ある恍惚感をさえおぼえながら、息もつかずに読みふけった。その血みどろな話が、自分に思わぬしっぺ返しをしてくるなど夢にも考えないで。女中たちは、私が読んでいるものに気づいていたのだろうか。

本の仕返しだろうか。用もなく女中部屋に行ってはいけないという母のいいつけに背いた罰だったろうか、恐怖の時間はさっそくその夜からはじまり、なんと半年ちかくも私をさいなみつづけることになった。ベッドにはいって、妹が、はいもう寝ましょ、とあかりを消したとたん、いきなり昼間の血みどろが私をびっしりとりかこんだ。切断された胴体がハトロン紙にくるまれ天井裏に隠されていた、という箇所が、なかでもいちばん怖かった。このごろでは、あまり耳にすることがなくなったが、ハトロン紙というのは、茶色い、表がつるつるで裏がざらざらした、包装用によく使われた紙で、昼間でも、道を歩いていて、ハトロン紙が道に捨ててあったりすると、私は大まわりをして近づかないように気をつけた。夜は夜で、自分の腕がからだに触れただけで、私はあっと声をあげそうになり、冷汗をかいて、それが死体ではないことを確認するまでは、寝つくどころではなかった。ついに我慢できなくなって、あかりをともすと、妹がおこった。なによ、ねむれないじゃない。そういわれると、わるいのは全面的にこちらだから、ごめん、とあやまるほかなかった。妹にも、ひとりかくれてそんな本を読んだなど、告白するわけにはいかない。だが、あかりを消すと、またおなじことだった。とろとろとねむって、目がさめると、こんどは自分のふとんが、死体の他の部分を包んだという「花色のふとん地」になったような気がした（そのころ、私は「花色」を、ピンクだとばかり思いこんでいた）。ベッドのくぼみも、シーツのやわらかさも、あの表紙の半分ちぎれた本を思い出させ、ついに泣きだすと、妹が母を呼んだ。ママァ、来てよ、おねえちゃん、あたまが変よ、このごろ。でも、なにがあっても、私はあの本のことをうちあけられないものだから、夜は眠れない、昼はぼおっとしているで、苦難の日々は時間の経過でひとりでに解決するほか方法がなかった。この事件は、五歳のとき、夕陽のあたるだれもいない二階の廊下で、コップを割ってしまったのを、ごめんなさいとあやまることができなくて、しばらくはその廊下に行けなかったときにはじめておぼえた、孤独と恐ろしさの経験と重なって、私のなかに残った。

やがて、母方の祖母からのプレゼントにもらった『プルターク英雄伝』に読みふける日々がやってきて、私は小学校六年生になっていた。

本のそとの「物語」

本を読んで、というのではなくて、私たちは、子供のころから、じつにいろいろな方法で、本のそとでおぼえた物語を自分のなかに貯めている。先年死んだ五つちがいの弟が小さいときは、寝入るまで私もよこに寝ころんで、いろいろな話をしてやった記憶がある。弟が三歳のとき、こちらは八歳だから、ずいぶんたよりない語り手なのだけれど、自分では結構、権威あるもののように思っていて、いいかげんなおとぎ話をつぎつぎにでっちあげては、話した。弟はだまって聴いていたが、リフレインというのか、センテンスの終りのところで、おなじフレーズが繰り返される部分を、息をつめるようにして待っていて、そこにくると、うれしそうに、自分も声をはりあげた。モモタロウのドンブラコッコ、スッコッコなどは、彼のおはこだったが、たとえば、カチカチ山の話に元来はそこにない川を流して、モモタロウのドンブラコッコを入れたりすると、弟は、だめよォ、そんなの、と言って抗議した。上が姉ふたりだったから、彼は学校にあがるまで、おんな言葉だった。

弟のことはこうして憶えているのに、自分がだれかに話をしてもらった記憶はあまりない。母は家事で忙殺されていたから、そんなひまがなかったにしても、ふたりいた叔母たちが、きっと、話を聞かせてくれたはずだ。それなのに、そんな情景はひとつも思い出せない。もしかすると、あまり物語をしない家族だったのかも知れない。

岡本という、私たちの家のあったところから電車で停留所二つ目のところに、母の姉が住んでいて、その伯母の娘、私たちにとっては年の離れたいとこが、お話の名人だった。遊びに行くと、いつも低い裁ち台のまえでお裁縫をしていたが、私と妹は、おかまいなしにお話をねだった。おねえちゃんは、お仕事があるから、おじゃまをしてはだめよ、と母は気をつかってたしなめたが、私たちはその伯母の家にいくと、彼女にくっついて離れなかった。

いとこのことを、母はいつも、直ちゃんは声がきれいだと言っていた。私たちは、彼女の、くりくりした目もかわいらしくてすてきだと思っていたので、それをいうと、母は、どうして、あんなビックリ目がいいの、と笑った。ほんとうは、母の目に似ていた。

でも、声がきれいだということについては、双方異論はなくて、おとなになったら、直子ねえさんみたいな声になりたいと思っていた。
そのきれいな声で、いとこはグリムの話をしてくれた。私たちの家には、あまり西洋の話がなかったから、いとこのグリムをきくと、私たちは半分、西洋に行った気分になった。なかでも彼女の話してくれる白雪姫が圧巻で、カガミ、カガミ、世界デダレガイチバンウツクシイ？ と彼女が透きとおった声でいうと、私たちは、うっとりして、われを忘れた。お話のさいちゅうにハエが来ると、いとこは長いモノサシを持った手をのばして、ぴしゃっとハエを叩いた。つぶれるときもあったし、さっと飛んでいってしまうこともあった。家に帰ると、私と妹は、早速、いとこの話してくれた童話を、もういちど実演してみるのだったが、ハエを叩くところまでいれて、母に、ばかねえ、あんたたちは、といわれた。

物語は、仏壇のまわりにも住んでいた。お盆が、祖母と、両親と、父の弟妹五人、それに私たち三人きょうだいという、十一人家族こぞっての大行事だった。迎え火、送り火に加えて、毎日、三度三度の食事を、さらに食事と食事のあいだには一時間ごとに水を、脚のついた小さな朱塗りのお膳にのせて、仏壇にそなえた。台所は、そのために一日中てんやわんやで、私たち子供は、うるさいといって二階に追いやられた。お膳の数は、三つだったか、五つだったか、いずれにせよちょっとした数で、だれが食べるの、と祖母に訊くと、これはおじいちゃん、これはおばあちゃんのおかあさん、というふうに説明してくれたが、どれも知らない人ばかりだったので、現実感はうすかった。

レギュラーのお膳のほかに、ちょっと大きめで、それにのせる食器も、他のお膳のよりは大きいのがひとつあったが、それは、ホーカイボーさんのためだと教えられた。いま考えると、あれは無縁ぼとけのためだったに違いないのに、どうして法界坊などと呼んでいたのか。私の記憶ちがいなのか。ホーカイボーさんって、だれ？　と訊ねると祖母は、そこらの道で亡くなったお人だす、と言ったが、母におなじ質問をすると、困ったような顔をして、お芝居に出てくる、髪ぼうぼうの坊さん、とだけ言った。母は、どうしてか、ホッカイボーさんと発音していて、私たちが、朝、寝起きで髪がみだれていると、母は、いやあね、ホッカイボーみたい、と言った。

お盆のあいだはふだんより夕食が遅かった。たぶん、父が会社から帰るのを待ったからなのだろう。その夕食のあと、家族ぜんたいが仏間にそろって「おつとめ」に出席しなければならない。夕食まえには、みな風呂にはいって、子供たちはゆかたを着せられていた。いちばん下の叔父は、私とたった八つ違いだったから、そのころは、まだ、小学生。むろん、彼もゆかたを着せられていた。

まず、祖母が仏壇の正面にすわった。そのすこしうしろに、父がすわって、祖母をうちわであおいでいた。父が手を抜くと、祖母がちょっと首を横に向ける。すると、父はまた、力をいれてあおいだ。母の席は、女中たちのまえで、叔父や叔母たちをうしろからあおいでいた。

「おつとめ」は般若心経ではじまり、和讃で終った。般若心経とか、観音経とかは、食前のクスリみたいなもので、これを歌わないと、あとのお愉しみだった御詠歌や和讃はやらせてもらえない。でも、私たちが和讃を待ちわびたのは、もちろん、日本語で意味がわかりやすいこともあったけれど、なによりも、その日によって、好きな歌を選ばせてもらえたことだった。叔父や叔母が、今日はこれがいい、というような提案を祖母にして、その日はなにを歌うかを決めた。

いつのころからか、私も和讃がすきになって、たいくつなお経が終るのを心待ちにした。祖母がいつも言っていたように、私が字をおぼえたのは「のらくろ二等兵」のおかげだったかもしれないけれど、「物語」への興味をさそわれるようになったのは、あの、お盆に仏間でうたわれた和讃だったのではないか。

自分と和讃についての最初の記憶は、仏壇のまえで、叔父や叔母たちが、今日はどの和讃にしようと相談している場面だ。そのときの畳の色の記憶から、どうも、暗い芦屋の家の仏間ではなくて、六歳のときに引越した、夙川の家の座敷だったように思える。叔父たちの話はなかなか決らないで、ながいこと、もめていた。いまなら、見たいテレビの番組でもめるようなものなのだろう。ふいに、こいさんと呼ばれていた下の叔母が、あ、これはあかん、とすっとんきょうな声をはりあげた。これはあかん。また、アッコさんが泣きやる。

それはたしか、『苅萱道心和讃《かるかやどうしん》』という歌で、入山できない母を麓において、女人禁制の高野山に修行中の父をたずねていく幼い石童丸の物語だった。苅萱道心は石童丸に、自分は彼の尋ねている父親ではないと嘘をいい、石童丸が下山すると、すでに母親は死んでいる、という話なのだ。それが、どのように語られていたかの憶えはないのに、イシドーマル、という音声は、いまも、とりかえしのつかない悲劇の印象とともに私の記憶のなかに重く沈んでいる。親から離れてなにかをしなければならない息子の哀れさと、親がほんとうのことをいってくれなかったための悲劇が、私をこわがらせた。あかん、アッコさんが泣いたら、ひつこい。叔母はそうも言った。泣かへんから、おねがい。自分がそう言って、頼みこんだのも、憶えている。そして、結局は、おいおい泣いて、こんどは一番下の叔父から、あかんなあ、やっぱり泣きよったなあ、とからかわれた。両親ともそろっていて、祖母や叔父叔母にかわいがられていた私が、いったいなににつまされてあんなに泣いたのだろう。

泣くせに、私は石童丸の和讃が好きだった。さめざめと泣いて、物語の世界を愉しんでいたにちがいない。だから、こんどこそ、けっして泣きませんからと、空手形を連発しては、『苅萱道心和讃』を歌わせてもらった。お地蔵さんが出てくる『賽の河原』というのも、好きな和讃で、こちらは、おなじみの「ひとつ、積んでは父のため、ふたつ……」のさわりがけんのんだった。

『西国三十三所』の御詠歌というのも、私の好きな歌のひとつだった。三十三のお寺を、ひとつひとつ想像して歌いなはれ、と祖母は言ったけれども、行ったこともない場所を、三十三も想像するなど、どだい無理で、私はセーガントジとか、アナオデラとか、まるで外国語のようなお寺の名に感心していた。二、三年まえに熊野路を旅したとき、青岸渡寺をおとずれて、あ、フダラクのお寺だ、と思ってなつかしかった。この第一番の札所の歌は、フダラクヤ、キシウツナミノという句ではじまる。畳のうえに置いた小さな鉦《かね》を木槌で叩きながら、祖母が先読みをした。一日の仕事に疲れた祖母が、ときどき居眠りをするのに気づくと、やんちゃな一番下の叔父が、すっと鉦の位置を変える。すると、祖母はぼこんと槌で畳を叩いて、目をさました。

上の叔母が結婚して、叔父たちも東京の大学に行ったりで、だんだん「おつとめ」の出席者がへった。父はもうとっくに参加を遠慮していたし、母もすこしずつさぼるようになっていた。祖母は私たち三人の孫を従えて、「おつとめ」に励んだが、やがて、小さいとばかり思っていた弟が、母にならってだんだんボイコットするようになった。

お盆のレパートリーに、『弘法大師和讃』というのが出現したのは、そのころだった。ある日、祖母が菩提寺の宝珠院からもらってきた。これは聖人讃歌だから、ひたすら弘法大師が、なにをした、どこへ行った、えらかった、という文脈で書かれていて、それが、私にはあまり面白いと思えなかった。それに、よれよれになった経本ではなくて、学校の教科書のようにそっけない洋とじで、それが有難味をそいでいた。オダイッサン（お大師さん）のご生涯やから、ありがたい思うて読みなはれ、と祖母は言ったけれど、私はやっぱりイシドーマルがよかった。むかしは自分も好きだったくせに、祖母は、あれはもう古い、と言ってとりあってくれなかった。

映画も「物語」をもってきた。叔母に連れられて、はじめて映画を見にいったのは学校に上る直前のころだった。すくなくとも、記憶にある映画は、それがはじめてだ。映画館というのではなく、なんでも叔母のおけいこ事のグループの集まりで、映画のはじまるまえに、叔母の先生に挨拶にいった。

これがまた、悲しい映画だった。菜の花が咲いていて、女の人が人力車に乗って、どこかに行ってしまう。満州に行くから、もう帰ってこられるかどうか、わからない。私に理解できたのは、それくらいだったが、見ているうちに、ふと、その遠くに行く女の人が、母だったような気がして、私はイシドーマルのときのように、泣きだした。おいおい泣いたので、叔母は、はずかしいといって、おこった。おこられても、塩からい涙が、鼻水といっしょにあとからあとから流れて、ほっぺたから口のまわりまでびしょびしょになった。とうとう、叔母は私を客席からロビーに連れだした。ああ、いややねえ、あんたは、といわれて、私は叔母の期待にそえないのが悲しくて、また涙があふれた。叔母は、私のいっちょうらが汚れるから、もっとあっちへいって泣きなさい、と邪険だった。そのとき、映画のまえに挨拶をした先生が横を通りかかった。叔母は、てれかくしのように笑って、ほんまに、泣き虫でいやですわ、というようないいわけをした。すると、先生が、いやあ、このお子は、気ィがやさしねんわ、と言ってなぐさめてくれた。ええお子やし。それで叔母はなにも言えなくなったが、家に帰ってから、私が泣いたことだけを祖母に報告したので、またまた、私は、あかんたれやなあ、と笑われた。先生が、ええお子やし、と保証してくれたことを、叔母はぜんぜん言ってくれなかった。

『サフランの歌』のころ

三月の十八日という日付が記憶にある。女学校最上級の五年生にとっては卒業式だったが、私たち二年生にはただの終業式でしかなかったその日の夜、私は、二階の西の洋間と呼ばれていた部屋の窓から半分からだを乗り出すようにして外を見ていた。日米戦争がはじまって一年経っていたけれど、高台の家の窓からは、まだ街の灯がちらちらとまたたくのが眺められた。卒業式といっても、三年も上の卒業生のことなどほとんどなにも知らなかったから、他の日にくらべて取りたてていうほど特別な日ではなかった。小さな丸いテーブルのうえのコップにさしたミモザの、むっとするような匂いが、明かりを消した部屋の空気を濃くしていた。

春だな。それが、最初に私のあたまにうかんだことばだった。そして、そんなことに気づいた自分に私はびっくりしていた。皮膚が受けとめたミモザの匂いや空気の暖かさから、自分は春ということばを探りあてた。こういうことは、これまでになかった。もしかしたら、こんなふうにしておとなになっていくのかもしれない。論理がとおっているのかどうか、そこまでは考えないままに、私はそのあたらしい考えをひとりこころに漂わせて愉しんだ。

だが、その直後にあたまをよぎったもうひとつの考えは、もっと衝撃的だった。それは、「きっと、この夜のことをいつまでも思いだすだろう」というもので、まったく予期しないまま、いきなり私のなかに一連のことばとして生まれ、洋間の暗い空気のなかを生命のあるもののように駆けぬけた。「この夜」といっても、その日の昼間がごく平凡であったように、なにもとくべつのことがあったわけではない。それでも、ミモザの匂いを背に洋間の窓から首をつき出して「夜」を見ていた自分が、これらのことばに行きあたった瞬間、たえず泡だつように騒々しい日常の自分からすこし離れたところにいるという意識につながって、そのことが私をこのうえなく幸福にした。たしかに自分はふたりいる。そう思った。見ている自分と、それを思い出す自分と。

そのころ、学校では少女雑誌のうわさがよく話題にのぼった。記憶にあやまりがなければ、私たちがそのころ読んでいたのは「少女の友」と「少女倶楽部」だったが、ある時期から、私は、それぞれの雑誌についての話が出るグループが微妙にずれていることに気づいていて、この人たちにはこっちの本の話、というふうに、毎月の記事や連載のうわさをする相手を使いわけるようになった。

当時は、近くの書店にたのんでおくと、毎月、発行されると同時に家にとどけてくれるようになっていて、小学校のときは、「小学○年生」という学年別の月刊誌が、母の読んでいた「婦人之友」などといっしょにとどいた。ただいま、とどなって内玄関の引き戸を開けると、台所の横の上がりがまちに三冊の雑誌が、本屋が持ってきたままの形で積み重ねてある。わっと声をあげて、ランドセルをほうりだし、靴を脱ぐのももどかしく玄関にすわりこんで、私たちはページをめくった。気配に気づいて茶の間から出てきた母が、あっ、しまった、とあわてるのは、子供たちの目のとどかないところに本を隠すのを忘れていたからだ。母の作戦としては、おやつも宿題も済んだところで、はい、と手渡したかった、それを不覚にも先に見つけられてしまったので、「あっ、しまった」なのだった。

このように「小学○年生」は毎月、なんの苦労もしないで手に入ったのだが、私も妹も、「おまけ」のやたらとついてくるその雑誌がとりわけ好きだったわけではない。その雑誌には、どこか、教壇で間のぬけた冗談を口にしてとくいになる先生につきあっているみたいなところ、勉強をすきにならせようとする「陰謀」みたいなものが底にひそませてあるのを、私たちは嗅ぎつけて、こころのどこかで軽蔑していた。おもしろくない、とこぼすと、母は、それは贅沢というものよ、わたしが子供のころは、読むものなんて買ってもらえなかったんだから、と取りあってくれなかった。

女学生になったとき私は母にたのんで、毎月の雑誌を「少女倶楽部」に変えてもらった。(妹はまだ「小学六年生」でがまんしなければならなかったけれど。)もともと「少女倶楽部」にして、と母にたのんだのは、自分本人だったくせに、そしてとどいたときは、自分が妹よりずっとおとなになったみたいでうれしかったのに、読んでみると、これといっておもしろいところはなにもなく、なあんだとがっかりした。それまでの学年別の雑誌とおなじように、読者を笑わせようとする調子がありありで、たちまちしらけてしまったのだ。

学校の帰り道に、そのころ開店したばかりの本屋の店先でいろいろ読みくらべてみると、おなじ少女向きでも、「少女の友」という雑誌のほうが、さし絵もしゃれていて、ずっと高級に思えた。これは妹もおなじ意見だった。「少女倶楽部」のほうは、いまならダサイとでもいうのだろう。一種の少女向け情報誌じみたものではなかったか。「少女倶楽部」はつまらない、と私はたちまち確信してしまった。読みたかったのは、もっと甘くてロマンチックな物語がいっぱい載っている雑誌だったのだから。「少女の友」のほうがおもしろそうなの、そういって私と妹は雑誌を変えてほしいと母に頼んだ。そんな、と私たちは叱られた。いちど選んだのだから、がまんしなさい。勉強も、それくらい熱心にすればいいのに。

母の小言は、いつもそこに落着いたので、私たちは首をすくめて、顔を見あわせた。でもどれほど「少女倶楽部」でがまんしたのだったか、とうとう、ある日、学校から帰ると「少女の友」が玄関にとどいていた。

この雑誌がどうしても欲しかった理由はいくつかあったが、まず、「少女倶楽部」にくらべて「友」のほうは表紙からしてずっと都会的だった。そのうえ、着るものはなくなる、食べるものも満足にない日常で、現実がどちらを向いても灰色の壁にぶつかっているような時代に、この雑誌はそれを超越して私たちをある愉楽の世界にさそってくれた。なによりも、私たちの夢を大きく支えていたのは、あのなよなよした、たよりない女の子ばかり描いてみせる中原淳一のさし絵だった。戦争がすぐそこまで来ていた時代に、淳一は、この世が現実だけでないという事実を、あのやせっぽちの少女たちを描くことで語りつづけていた。

目ばかり大きくて、手足のやたらと長い、虚弱そのものみたいな淳一の少女たちが、昭和十年代後半の女の子たちにとって、どれほど魅惑にとんだものだったか。戦争が身近に迫ってくるにつれて、私たちは現実でないものをこそ、身のまわりに備えておきたかった。たしか「救急袋」と呼んでいた、あの忌まわしい肩かけ袋に、何日もかけて花壇に咲き乱れる花や、西洋の女の子を刺繡するのが流行っていたのとおなじように。

母は、しかし、私たちの淳一熱をみて、いやあね、おまえたちは、と嘆いた。ママの若いころには、竹久夢二という画家がいて、ちょっとあなたたちの淳一に似てたけど、夢二のほうが、ずっと絵が上手だったわ。ただ、なよなよしてるからいいってもんじゃないでしょう。

それにしても、自分たちがこんなにいいと信じている淳一の絵を、母が認めてくれないのはなにやら心細かった。早稲田の建築科の学生だった叔父も、私たちの「淳一フィーバー」を半分ばかにして、半分心配した。もっと、ちゃんとした絵を見ろ、と叔父はいった。こんなの、デッサンがなってない。

なんといわれても、私も妹も淳一がすきなのだった。デッサンがなってなくても、いい。ちゃんとした絵なんて、つまらない、と私は考えた。叔父ちゃんになんて私たちの気持がわかるものか。

この叔父は、ときどきこんなふうに母とグルになって私たちを叱ったから、そのことも私は気に入らなかったのだが、こころのすみのほうでは、「デッサンがいい」とか「デッサンがよくない」という彼の批評をきくと、私は不安になった。絵がいいとか、わるいとか、いったいどうやって決めるのだろう。

初山滋という画家のさし絵がいい、と叔父はその人が描いた絵本をどこかで見つけて買ってきた。淡い色彩のイメージがふわふわと空中にただよっている感じのこの画家の絵は、たしかに幻想的で美しかったが、中原淳一の作品にくらべると、「むずかしい」気がした。叔父は、また武井武雄という人の描いた『赤のっぽ、青のっぽ』という、とんまな鬼の話の漫画本を私たちに買ってくれた。中原淳一のつぎでよければ、初山滋や武井武雄もいい。それが妹と私の意見だった。

「少女の友」には、淳一のさし絵で、『美しい旅』という小説が連載されていた。作者の名を見て、この川端康成というひとは、おとなの本も書いてるのよ、と母がおしえてくれた。その小説のすじはほとんど思い出せないのだけれど、盲目の小さな女の子が出てきた。その子が、だれかに連れられて汽車で旅行する場面があった。目はみえないのだけれど、そして、目がみえないために、花子はひどくわがままで、とつぜん大きな声で泣いたりすることがあった。それでも、その子のひとみはいつも濡れたように黒く澄んでいて、汽車に乗っていても、だれも盲目だということに気づかない。そのことが私をつよく捉えた。花子という名もすてきだったが、なによりも、盲目なのに、吸いこまれそうに美しい目というのは、いったいどんなことだろう、と私は考えた。汽車に乗っている花子のさし絵があった。淳一の描く濡れたような黒い大きな目が、川端康成の文章にぴったりだった。

夏になると、毎年、私たちは関西の祖母のところに「帰省した」。八月のお盆のあとにいちど、春休みにもいちどだけ、私たちきょうだい三人は、母に連れられて、大阪の南の郊外に住んでいた母の兄のところに遊びに行った。母の四人の兄のなかで、この伯父がいちばんかわいがってくれたと慕っていたから、一年に二回のこの訪問は、母にとっていわば里がえりみたいなものだったろう。おじいさんに叱られながらも、この伯父が、自分はどうしても画家になりたいといって、大学にも行かなかった話を母から聞くのが私は好きだった。中学を出てすぐに有名な日本画家の弟子になったが、それもやめて、画だけでは食べていけないから、図案画家になったというのだった。芸術はたいへんなのよ、と母がいうのをきいて、私は伯父を尊敬した。

「うちみたいに、子供を叱ってばかりいるおばあちゃんがいない」伯父のところに行くのが、私たちには待ち遠しかった。食事も私たちの家よりずっとおいしかったし、広い、クスの大木があったり、草がぼうぼうに生えていたりする庭も、祖母がいつもどこかで見張っているような、石灯籠や折ってはいけない植木があったりするうちの庭とはちがって、駆けまわって遊ぶことができた。伯父の子供たち、すなわち、いとこたちが、上が女ふたり、いちばん下が男、という私たちとおなじ兄弟構成であるのも、親しみを感じさせた。(その家では、いちばん下の男の子のコウちゃんが、私とおなじ学年だった。)

ある夏、いつものように母たちと伯父の家にいくと、女学校の修学旅行で、東京にいってきたといって、二ばんめのお姉さんのノブちゃんがすっかり興奮していた。そして、自由行動のときに「少女の友」の出版社にいって、中原淳一のさし絵の原画を一枚もらってきたのよ、といばっている。私たちが拝むようにして見せてもらったその絵が、例の目のぱっちりした少女ではなくて、チューリップかなにか、花を一本、さっとペンで描いたものだったのには、少々がっかりはしたけれど、「原画」ということばの威力にはすっかり降参だった。お父さんの友人が、出版社にいるからよ、とノブちゃんは自慢そうにいった。伯母さんも、そうよ、ノブちゃんはほかのお友達といっしょだったのに、このひとだけが原画をもらったのよ、と母の顔を見ながら、おなじことをくりかえした。自分は東京に住んでいるのに、出版社もなにも知らないで、つまらないな、とノブちゃんがうらやましかった。出版社にお父さんの友人がいる、というのもなにかすごいことに思えたが、では出版社というところが、いったいどんな仕事をする場所なのかと聞かれると、本がそこからやってくるという以外には、なにも答えられなかっただろう。父は、本はめっぽうすきだったが、出版社の話をすることはなかった。

わあわあ話しているうちに、原画をもらってきたノブちゃんの興奮が、だんだん妹にも伝染して、ふたりは画家になりたいねえ、とひそひそ話をはじめた。私は絵が描けなかったし、画家になんてなりたいと思ったこともなかったから、ふたりのいうことをあきれて聞いていた。

自分が尊敬している画家の兄が娘の東京旅行で出版社の友人を紹介し、その子が淳一の原画までもらってきた話を聞いて、母は気が変ったのか、うるさい私たちの淳一熱に根負けがしただけだったのか、私たちの「少女の友熱」を黙認するところまではこぎつけたようだった。

マサコちゃんという、六本木に近い、おしゃれで有名なミッションスクールに通っていた友だちができたのは、そのころだった。

マサコちゃんは、私たちの家のまえの私道を三軒ほど奥に行った突きあたりの家に、私たちが上京して二、三年あとに越してきた子で、五人きょうだいのなかで、ひとりだけ年のはなれた末っ子だった。ちょっと見は古風だがりっぱな門がまえの家で、しばらく空き家になっていたあと、だれかが越してくるらしいとわかったとき、妹も私も、子供がいればいいのにね、と期待に胸をふくらませた。やがて友達になったマサコちゃんは、妹より二年ほど下で、ぽっちゃりとした丸顔のかわいい子だった。大きな門の横にある通用口からは、慶應に行っているスポーツマンのお兄さんと、早稲田の学生だったおとなしいお兄さん、それにヒデコさんという、マサコちゃんとおなじミッションスクールの中等部に通っているお姉さんなどが、ちょっと身をかがめるようにしてしじゅう出たり入ったりしていて、あまりぱっとしない私道の奥が華やかになった。お母さんはぽってりとふとったやさしそうなひとなのに、私たちに話しかけるというようなことはあまりなくて、お父さんは、ずっと以前、一家が上海に住んでいたときに亡くなったということだった。

マサコちゃんの家は、庭もうちよりずっと広いはずなのに、どういうわけか、彼女が私たちの家に来て遊ぶことはあっても、私たちがマサコちゃんの家に上がったことがなかった。それで、私のなかには、彼女の家で遊びたいという気持がしだいにつよくなった。

理由はいくつかあったけれど、いちばんのわけは、マサコちゃんだけでなく、お姉さんのヒデコさんも、とてつもない本持ちだったからだ。いちどでいいから、彼女たちの本がしまってある場所を自分の目でみたいと私はずっと考えていた。たしかに、あのふたりは、世界少年少女文学全集というタイトルの、たしか三十冊近いシリーズの本を、ぜんぶ持っていたし、なによりも私がうらやましかったのは、もとはお兄さんたちのものだったらしい、少年講談集だった。猿飛佐助だったか、霧隠才蔵《きりがくれさいぞう》だったか、最初の一冊を借りて読んでからというもの、少年講談のぽきぽきした講談ふうのリズムや、ちょっとバカふざけをする語り口にすっかりとりつかれてしまった。もっとないの、と訊ねると、うちにはぜんぶ揃ってるとマサコちゃんはいばって答える。いちど、ぜんぶが揃っているところが見たくて私はうずうずした。

少年講談だけではなかった。自慢するくせに、そして、私たちの家では二階の寝室やら縁の下の物置にまではいってきて遊ぶくせに、マサコちゃんは、本を貸してほしいというと、彼女だけが家に入って、私たちは門から玄関につづいている丈のひくい笹が植わった小道で、えんえんと待たされるのだった。あまりながいこと出て来ないので、もう帰ろうかとあきらめかかるころ、小道のわきの窓が開いて、そこからマサコちゃんが首だけ出して、なんだっけ、といったりする。約束したのに、と本の名をいうと、中にひっこんで、やっとその本を渡してくれるのだ。私は、部屋の中にあるにちがいない本棚ぜんぶを見たくて、足のゆびが折れそうになるぐらい背のびをして、家の中をのぞきこもうとする。それでも、マサコちゃんはぜったいに、上がっていらっしゃい、とさそってはくれなくて、一冊ずつ、窓のそとに突き出しては、これは読んだ？　と訊ねるだけなのだ。もう読んだ、というと、しばらく時間がたってから、また、一冊、というぐあいで、彼女は、まるで性悪の司書みたいに、いちどきに一冊、という規則をぜったいに崩さないものだから、窓の下の私には、待っている時間がとてつもなく長いものに思えるのだった。

おかあさまが、お友達を家にあげてはいけないっていうの。そんなマサコちゃんのいいわけが、私にはうらめしく聞こえた。あのやさしそうな小母さんが、そんなことをいうはずがない。そんなふうにひとり決めこんで、私は思った。こんなに仲よくしているのに、家に入れてくれないなんて、マサコちゃんのケチ。

いちどだけ、きょうはおかあさまがいないから、とマサコちゃんがいって、家に上がったことがある。その日はじめて、私はマサコちゃんの家が、門のあたりからはそう見えたように平屋ではなくて、勾配に建っているため、庭にまわると、じつは二階建てになっていることがわかった。

跳ねるような足どりで先に行くマサコちゃんのあとから、暗い廊下や見晴らしのいい居間をぬけ、幅のひろい階段を降りたところで、私はふいに視界を阻まれて立ち止まった。いったい、あれはどれぐらいの広さだったのだろう。板張りの床がほとんど見えないほど、ぎっしりと木製の本棚が並んでいて、黒ずんだ背表紙の書物が天井までつまっていた。それは、マサコちゃんが窓から一冊ずつ手渡してくれる少年講談や少年少女文学全集などとはぜんぜん違った種類の書物だったうえ、こんなにたくさん本のある場所は見たことがなかった。背表紙の字を読もうとするのだけれど、部屋の暗さもあり、地色がくすんでいたり、字が難しかったりして、なにを書いた本なのかはわからない。ぼんやりしている私を、マサコちゃんがとんがった声で呼んだ。はやく、はやく。おかあさまが帰ってくると、たいへん。書庫なんておもしろくないから、お庭に降りましょう。

私にとっては、あれがはじめて見た書庫という場所だった。そんな言葉を耳にしたのも、あれがはじめてだったように思う。商家ばかりの父の親類の家でも、おおむねはサラリーマンだった母の親類でも、書庫の話など聞いたことがなかったし、こんな本ばかりの部屋は想像したこともなかった。マサコちゃんの亡くなったお父さんが中国のことを研究していた、と彼女から聞いていたような気もしたが、それがこんなにたくさんの本とつながるとは考えてもみなかった。マサコちゃんがきゅうに偉いように思えて、私は彼女の顔を見つめた。

そのマサコちゃんから借りて読んだ本のなかに、吉屋信子という人が書いた『花物語』という、これも何冊かのシリーズになった本があった。表紙もさし絵も淳一のもので、私たちは「少女の友」のつぎには、この本に夢中になった。

顔のみにくい少女の話があった。その子は、自分が美しくないことでふてくされているのだが、ある日、だれかに、あらしの晩に鏡に映る自分の顔が、ほんとうの自分だと教えられる。そして、大雨が降った夜、いなびかりに照らされた自分の顔を見て、うつくしさに胸をつかれた少女は、それからは、その自分の「ほんとうの」顔と、ふだんの顔がひとつになるように心がける、といういかにも少女むきの話だったけれど、私は、こんなふうに鏡なんかをひっぱりだしてきて、読み手をぞっとさせる雰囲気を創り出している吉屋信子という作家を、半分は尊敬したが、あとの半分は、なにかの「ふり」をしすぎていることばづかいに嘘っぽさがあって、そのことがいやだった。

川端康成の『美しい旅』の花子、そして吉屋信子の『花物語』のどちらにも「花」という字がついていて、花のすきな私はそれに惹かれた。そのことから、自分もいつか花について書いてみたいと漠然と考えたが、小説のなかで使われている「ことば」のうえの花が、花瓶に活けておくと枯れて腐ってしまう花や、道端に咲いている花とは、どこかすこし違っていることに、そのころ私はうすうす気づきはじめていた。

学校で、みんながまわし読みをしている一冊の本があるのに気づいたのは、かなりの級友が読んでしまってからのことだった。私は学校と家というふたつの世界を、完全にあたまのなかで分けて暮らしていて、学校ではだいたい、時間の経つのをがまんするだけ、ほんとうの生活はうちに帰ってから、というふうだったから、その「本」がみなのあいだを回っていることも、ずいぶんおくれて知ったのではなかったか。すてき、というような形容で、だれもがその本を話題にしていた。(だれもが、とそのときは思ったのだけれど、いまになって、そんなはずはないとも思う。五十人の級友が、すべてあの本を読んでいたとは、とても考えられない。)とにかく、友人にたのみこんで、私は少々無理をして回覧の順番のなかにわりこませてもらった。

「本」とはいっても、それは謄写版ずりの、たぶんタイプ印刷のものを、手とじにしたものだった。表紙に『サフランの歌』というタイトルと、松田瓊子《けいこ》という著者の名が印刷されていたが、これを書いた松田さんというひとは若いとき亡くなって、お父さんがこの本をつくったという話が、「おまけ」みたいに本といっしょにまわっていた。まだ、ほんとうには出版されてないのよ、と物知り顔の友人は、こんなことをつけくわえた。読んだことを、あまりひとにいっては、いけないんですって。

軽井沢のお話なのよ、と毎年、夏になるとその高原の町の別荘に行く級友たちはうわさした。夏になると関西に帰ってしまう私は、夏休みにまで学校の友達と遊べる軽井沢というところにあこがれていたから、これを読めば、いろいろなことがわかると愉しみだった。

それは、小さな女の子と、お兄さんの少年が主人公の話だった。いばって私たちをこきつかう叔父たちばかりで、兄のない私は、そのことだけでも胸が躍った。その子たちが愛しているシラカバのある風景は、ピアノかヴァイオリンかというような話に夢中になっている主人公たちや、「サフラン」という、なじみのうすい花の名といっしょに、私たちのなかにあった西洋趣味をたっぷり満足させてくれた。それが、自分たちとおなじ年頃の、おなじ国の少年少女の話として生かされていることが、私を勇気づけてくれた。こんな本を書いてみたい。とかなり本気でそんなことも考えた。

「あまりひとにいってはいけない」という秘密の匂いも、『サフランの歌』が私たちを捉えた原因のひとつだった。戦時下といわれた当時、あまりにも西洋じみた『サフランの歌』が、当局の目にふれてはいけないためだったに違いないのだが、隠しごとの好きな私たちは、「秘密」というだけで、じゅうぶん愉しむことができた。

おいしいものを食べるように、勉強をそこそこに済ませると、私はベッドのなかでまず自分が読み、そこから、これを読んだこと、だれにもいっちゃだめよ、と約束させたうえで妹にも読ませて、ふたりで熱にうかされた。でも、私にとってこの本が忘れられなかったのは、ストーリーそのものはさておき、こんな本ならいつか書けるかもしれない、と考えたからだった。文学や、作家、ということばのもつ、ふつうの人間から隔った世界の人たちにたいして私が感じていた、一種のおぞましさといったものが、この本にはなかった。「きれいなままで」書き、読むことができるという、いってしまえば性の欠落であるかも知れないそのことにも、私たちは安心したのではなかったか。

主人公の少年が、ほんとうはオーケストラの指揮者になりたいのだけれど、ぼくは背がひくくて、とてもおへその上をゆらゆらゆするように指揮ができないから、といってあきらめたり、馨《かおる》という名の妹が、カボちゃんという、私たちには「すごくかわいい」音に思えた呼び名で登場したりすることに、クラスのひそひそ話は何か月もつづいた。

最近になって、『サフランの歌』を読んだことがあるかどうか、七歳ほど年下の友人にたずねると、彼女はそくざに、ああ、あの中原淳一のさし絵のある本でしょうとうれしそうな顔をした。謄写版ずりの、秘密めいたまわし読みの本しか知らなかった私は、中原淳一の名が、また思いがけないところで出てきたのでびっくりした。

友人にいわせると、彼女が戦後、疎開地から東京の小学校に復校してまもなく、『サフランの歌』は、おなじ著者の他の本といっしょに、どれも淳一のさし絵で出版されたという。私の読んだのは、そっちだった、と彼女は、私たちがまわし読みにしていた謄写版ずりの本の話に目をむいた。へえ、あんなのが、読んじゃいけない本だったの。そういえば、あれを書いた松田瓊子さんはキリスト教だったからねえ、讃美歌なんかが出てきたし。私は私で、みなの鞄のなかでこすれて、ページのはしがめくれたようになっていた手とじのあの本が、やがて、ほかでもない中原淳一のさし絵で出たということのふしぎな一致にことばも出なかった。

二階の洋間の窓から首をつきだして感じた春を、はじめてことばで受けとめたことに驚いたのは、秘密で読んだ『サフランの歌』に感激してから、一年ほどすぎたころのように思う。あの本の話をマサコちゃんにしたかどうか、だれにもいわないでといって、そっと彼女にも貸したかどうかは、もう思い出せない。

まがり角の本

何冊かの本が、ひとりの女の子の、すこし大げさにいえば人生の選択を左右することがある。その子は、しかし、そんなことには気づかないで、ただ、吸い込まれるように本を読んでいる。自分をとりかこむ現実に自信がない分だけ、彼女は本にのめりこむ。その子のなかには、本の世界が夏空の雲のように幾層にも重なって湧きあがり、その子自身がほとんど本になってしまう。

『ケティー物語』という青い表紙のずっしりと重い本が、私と妹にとって離れられない宝物になったのは、いくつぐらいのときだったのか。夏休みがはじまったばかりのある日、銀座のデパートの書籍売場で、いいわ、ふたりで一冊だけよ、とうしろで待っている母を背中で気にしながら、迷いに迷って選んだ本だった。著者はアメリカ人、スザンナ・クーリッジという女性の作品で、ケティーという名の少女が主人公だった。

だが、ひとつ思い出せないことがある。それは、はじめてこの本を読んだときに、自分がどういう感想をもったのか、がわからない。おそらくは、読んだものについてあれこれ考えるだけの距離を、自分と本のあいだに設けるわざをまだ持っていなくて、自分にとってよいことなのか、わるいのか、そこまでの判断をする余裕もなにもないまま、ある夏の午後ウサギの穴に落ちこんだアリスのように、いきなり、ケティーの世界に吸い込まれてしまったようにも思う。

いま、手もとにないので、あやふやな記憶をたぐりよせてみると、その本は北米、ニューイングランドの、庭のひろい家に暮らしていた、ケティーという女の子とその弟妹たちの物語だった。ケティーのすぐ下に妹がひとりいて、ずっと年のはなれた弟が、ふたりいたのではなかったか。父親は近所で尊敬されているお医者で、母親が子供たちの幼いころに死んだので、イジイ叔母さんという、中年の、なかなか口うるさい叔母さんがみんなの面倒をみてくれている。たとえば、ケティーが朝、学校に行こうとして、玄関で帽子のひもが切れているのに気づく。あわててその辺にあった安全ピンでとめようとすると、叔母さんがこわい声でいう。ケティー・カー、そんなだらしないことして。

おかあさんが生きてたら、なんておっしゃったでしょう。叔母さんが、カー、と姓をつけて呼ぶときは、いまの子なら、あっ、やばい、という感じなのだ。ケティーもそれを聞くと、ぎょっとして反省する。

ケティーは私とおなじ、長女で総領だった。そのことにも親近感をおぼえたのだが、なによりも私をひきつけたのは、ケティーたちの家には、はてしなくひろい、庭があることだった。庭、といっても、ちょっとやそっとの広さではなく、子供たちが土曜日の午後、探検にでかけるぐらい、森があったり、めずらしい野の花の群生地があったりするほど広大なものだ。おそらく英語では、パーク、とよばれる自然のままの土地なのである。

それだけのことで、私は、学校も友人たちも、坂の多い、片道三十分の通学路も忘れて、ケティーの世界に没入してしまった。

小学校三年生から女学校三年のおわりまでの私自身に、今日どこかで出会ったとする。瘦せて、たよりない顔をしたその子に、いま、いちばん欲しいものはなあに、と訊ねたら、その子は真剣な顔をして、こう言うだろう。お庭のひろい家。

九歳のとき、関西から東京に越して、その子の住んでいた麻布の家は、かなりな建坪のわりに庭がせせこましかった。それだけではない。松林の丘陵がつづく土地に建っていた関西の家のあたりの自然がなつかしくて、その子は、毎日、つらい思いをしていた。東京に来るまでその子は、学校から帰るとランドセルを玄関にほうりだして、日が暮れるまで、《山》で遊んでいたからだ。

その子、私が幼年時代をすごした、兵庫県武庫郡精道村の家は、借家ではあったけれど、庭は、ひろいといっていい部類のものだった。どれくらい、と訊かれて正確には答えられないが、その家は、おそらくは当時の郊外によくあった種類のものではなかったか、どこか農家ふうなところがあって、たとえば庭についていうと、明確な三つの区画があって、そのひとつひとつが、独立した三つの世界をかたちづくっていた。

まず、一番目の庭には、祖母がいた。前栽《センザイ》、と彼女が呼んだ、石灯籠や手水鉢や飛び石のある、座敷に面したレトリカルな庭で、灯籠のうしろの朽ち木には、まっくろなカラスアゲハ(叔父たちはカミナリ蝶とか、ただ単にカミナリとか呼んでいた。)が飛んでくる真夏のころ、赤いノウゼンカズラの花が咲いた。その庭と、お客が来たときしか使わない玄関の前の植え込みとは、はじめは霜のおりたようなブルーの肌合で、やがて赤黒く熟れる実のなるコウヤマキの生け垣でへだてられていた。

私たちの子供のときの写真は、たいてい、この庭か、庭に面した座敷の縁側で撮っていて、私も妹も、八歳年上だった小さい叔父も、両手をわきにぴったりとつけて、なにかよそゆきふうの、恐縮したような笑い顔で写っている。よそゆきの顔になっているのは、そこが祖母の庭だという意識が透明な切手みたいにあたまのどこかにへばりついていたからかもしれない。

じっさい、飛石のないところを歩いたり、サツキの赤い花を勝手に摘んだり、「おモチ」といってままごとで使う、きっと病変した葉なのだろう、小さなコブ状になったツツジの葉を集めていたりすると、いつのまにか、祖母が、暗い座敷にいて、そこから、ぽんぽんと手をたたいて、叱った。けっして大声をあげないひとだったから、この、ぽんぽん、だけで私たちは凍りついた。

二番目の庭は、勝手口のわきにあって、一列にならんだスギが、となりの一段高いところにある大麦畑から吹きつける北風をさえぎっていた。スギの木の横で、母や叔母たちが、お天気のいい日には、ほどいて洗った着物やふとん地の「張り物」をすることがあって、ハンモックのように木から木に渡した布地から、それまで浸してあったノリの水分がぽとぽと落ちて、白く乾いた地面に黒いシミをつけた。裏の門につづく石だたみの横に、中学生で凝り性だった二番目の叔父が、花壇をつくっていた。ある年の春には赤と黄のチューリップを何本か咲かせたのも、ある冬にはフレームと呼ばれていた小さながガラス張りの囲いをつくって、その中でサボテンを栽培していたのも、この叔父だった。夏には、マツバボタンやホウセンカが花壇のふちに咲いた。

台所の入口には、山グミの木が一本あって、白っぽい緑の小さな実がだんだん赤くなると、食べたい、食べたい、と私や妹がさわいで、叔父や女中にうしろから抱きあげてもらっては、実をもいで小かごに入れた。口に入れると、はじめはあまずっぱいのに、渋いざらざらした味が舌に残った。

この庭に面しては、また、台所につづいた洗面所もあって、白く塗った窓枠と鉄の格子だけが、他は日本建築の板壁のなかで、ちょっと西洋風だった。その洗面所から遠くないところに、家の人たちが「しもの便所」と呼んでいた、ふだんはそれほど使わない厠があって、その裏にあったイチジクの木の下で、どういうわけか、私と妹はよく遊んだ。いまでも、つよい、どこか人間に似た匂いを放つイチジクの木のそばを通ると、芦屋の家の厠のうしろにうずくまって、土を掘っていた自分たちのすがたがふと記憶にもどる。祖母が私たちのために作らせてくれたブランコがあったのも、そのあたりだった。

そして三番目の庭。いま、三つの庭のなかのどれかひとつあげるといわれたら、私は躊躇しないでこの庭をえらびそうな気がする。それは家屋の西側にあって、竈《かまど》のある古風な台所の土間を抜けて、風呂の焚き口のうしろ、白壁の土蔵のわきに出たあたりからはじまっていた。塀にそって一列にミカンが植わっていたが、風呂場のほうから数えて五、六本目あたりでミカンの列は切れ、一本だけ夏ミカンの低い木が、枠のついた溜め池の濁った水のうえに枝を伸ばしていた。そのあたりには、ネギやミツバなど、ちょっと薬味に使うような野菜を祖母が植えさせていて、一本だけあった柿の木には渋柿がなった。

英語のオーチャードとか、フランス語のポタジェ、イタリア語のオルトなどは、辞書でひくと、果樹園とか、野菜畑とか、菜園とあるが、芦屋の家の三番目の庭が、まさにそれに相当するものだった。庭、という言葉にはあてはまらない、それでいて、さきに挙げた訳語とも微妙にずれた、それは、野口雨情やら北原白秋の感覚で「童話的」とでもいいたい、でも決定的にケの空間だったように思う。たとえば、叱られた子（それは私か妹だったかも知れないし、ねえやのひとりだったかも知れない）が泣いていたり、若い叔父のだれかが、そっと女の子からきた手紙を読みに行ったりするといったような。おとなたちは、その庭を単純に「裏」と呼んでいたのではなかったか。東京の家に越してから、私がいちばん思い出していたのは、この三番目の庭で、そのつぎには叔父が花壇をつくった二番目の庭だった。

ケティー一家に話をもどそう。彼女の家の庭は、オーチャードでもガーデンでもなく、やたらと広い感じで、そこに住んでいるケティーたちもよく知らない小道や小さな丘があった。しかも、その知らない部分に子供たちだけで行くことは、うるさいイジイ叔母さんがかたく禁じていた。もちろん、彼女たちは、叔母さんのすきを狙って、土曜日の午後などにそのあたりを探検する。そして、ササフラスの道だとかなんとか、私たちが身ぶるいし、うっとりするような素敵な名をつけてしまう。ササフラスというのは、いま辞書をひくと、sassafrasという綴りになっていて、なんと、北米産のクスノキ科の植物とある。それなのに、私は、ササという音から、クマザサとか、せめてサフランのような、丈のひくい、草っぽい植物を勝手に想像していた。いや、そう思わせるなにかが、本にあったにちがいない。

なによりも、探検、という言葉で、私のあたまはいっぱいになった。リヴィングストーン博士をアフリカの奥地にたずねていったスタンリーという新聞記者が書いた探検記に夢中になっていたこともあって、私はあらゆるところを探検したくてうずうずしていた。ケティーの方法なら、アフリカまで行かなくても、探検はできるかもしれなかった。それにしても、どこかいい場所はないだろうか。

ちょうどそのころ、近所に空き家があることがわかった。その家の門は、私たちの家とはまったく関係のない、光林寺坂という私と妹の通学路に面していたのだったが、もともと人の出入りの少ない家で、その門の奥に空き家があるなど、私たちは想像したこともなかった。それを教えてくれたのは、近所で唯一のともだちだったマサコちゃんで、彼女の家の庭が、なんと空き家の庭につづいているというのだ。

うちの庭から、おとなりの庭にはいれるかも知れないよ。ある日、マサコちゃんがあんまりあたりまえみたいな顔でぽろりといったので、私はびっくりした。となりって？とたずねると、うん、と彼女は大きく息を吸いこんでから、ひと息にいった。光林寺の坂を上がってくる右側に大きな門があるでしょ。あの門から入ったところの家が、うちのおとなりなのよ。すっごくひろいお庭なんだけど、だれも住んでないみたい。

天にも昇る心地で私が顔を見ると、マサコちゃんは、やっぱりなんでもないふうな顔つきのままで続けた。ずいぶん広そうよ。探検できるかもしれない。

私たちは即座に決めた。その庭を探検しよう。

どうすれば、マサコちゃんのお母さんやお兄さんやお姉さんにみつからないで、その庭にしのびこむことができるだろうか。その日から、学校にいても、家に帰って宿題をしていても、私はすべてうわの空で、そのことだけを考えつづけた。

それなのに、結局のところ、どんな相談をしたのだったか、また、どんな塀がマサコちゃんの家とその庭をへだてていたのか、どんな日にどうやって塀を乗りこえたのかは、すべて忘れてしまった。南向きの斜面を何段かに分けたその家の庭は、入ってみると、私たちの想像を超えて、息がとまりそうにひろびろとしていた。人が住まなくなってずいぶん経っていたのだろう、木の枝は伸びほうだいだったし、庭石や灯籠も丈たかく茂った枯れ草に埋もれていて、荒れはてている分だけ、私たちにはすばらしく思えた。(荒れた庭、というのを見たのも、はじめての経験だった。)庭が大きいわりには古ぼけた、周囲にガラス戸をめぐらせた小さな平屋が光林寺坂に向ってひらいた門から遠くないところにあったが、建物に入るのはさすがに気がひけたし、だれにも見られずに、その広い庭を歩きまわれるだけで、私たちは探検遊びをじゅうぶんに愉しむことができた。

春休みのあいだのことだったように思う。ロウバイという灌木が、匂いのよい、半分透きとおったような薄色の花をつけていて、その名を年下のマサコちゃんから教わって、私はびっくりした。花や木の名は、マサコちゃんより自分のほうがずっとよく知っているつもりだったからだ。ロウはろうそくのロウ、バイは梅よ、と彼女はいばって、いった。お姉さまに教えてもらったの。

何週間かのあいだ、私たちはその庭をめぐって、熱に浮かされつづけた。とはいっても、当然、毎日行けたわけではない。マサコちゃんのお母さんやお姉さんが出かける日を、私たちは待ちあぐね、明日は大丈夫そうだという日の夜は、興奮して寝つけないほどだった。庭に入るときには、ケティーの本を教科書のように持っていって、日だまりの庭石にこしかけて読んだこともあった。笹の茂った小径のひとつには、もちろん、サフラスの道という名をつけた。

つぎに私たちが考えたのは、庭全体の地図をつくって、それをマサコちゃんと私と妹の三人だけの秘密にして、どこかに隠さなければならない、ということだった。もともと、地図のない探検なんて、とても本気にはなれないし、どの探検譚を読んでも、地図は秘密の場所にかくされているのだから。私たちのひそひそ話がこうじて、まだ小さくて仲間に入れてもらえない弟にやきもちをやかせてしまい、母にばれそうになったこともあった。

やがて、私たちは、秘密の庭の地図の隠し場所に行くための、もうひとつの秘密の地図までつくってしまった。あるときは、それぞれの地図の隠し場所について、マサコちゃんと私たち姉妹の意見が合わなくなって、何日かいっしょに遊ぶのをやめてしまったこともあった。

この愉しいゲームは、しかし、じつにあっけなく終りをつげることになった。おかあさまに叱られちゃった、とマサコちゃんが、ある日、せつなそうにいった。おとなりのお庭にはいってはいけませんって。もっと女の子らしい遊びをなさいって。私はまた思った。マサコちゃんのケチ。

夏休みのある日、なにもかも朝からうまくいかないことがあった。『ケティー物語』の中の話だ。ある朝、イジイ叔母さんが子供たちに宣言した。ブランコのひもがゆるんでるから、下男のジムだったかサムだったかが修繕してくれるまで、だれも乗ってはいけませんよ。ケティーは、それをなにげなく聞きながした。耳には入っていたのだけれど、ちゃんと理解しようとしなかった。それで、いらいらした気持のまま、ブランコのところに行ってみると、なにもかもふだんとおなじだ。そっと乗ってみる。なにもおこらない。すこし漕いでみるが、びくともしない。ひもがゆるんでるなんていって。ケティーは、叔母さんがうらめしかった。私がマサコちゃんのことをそう思ったように、ケティーもこころの中で考えたかもしれない。叔母さんのケチ。そしてケティーはブランコが高くあがったとき、まっさかさまに落ちて、大怪我をすることになる。何日かは、自分がどこにいるかもわからなくて、やっと気がついてからも、もう一生立ち上がれないかもしれないと、お医者にいわれる。寝たきりになったケティーは、すこしずつ、それまで自分のことしか考えていなかったこと、妹や弟たちにだって、もっと親切にしなければいけないことなどに、気づきはじめる。そして、少女小説だから、ハイディの話とおなじで、ケティーは、本の最後のところで、自分の足で立てるようになるのだが、こういった教訓めいたことも、私はそれなりに、なるほど、と思って読んだ。

なんどもくりかえし読んだので、その本には、自分がどうしても理解できないことばや表現があることに気づいた。彼女が車椅子にすわったきりだった最初のクリスマスに、自分が元気だったころほとんど使ったことのない「サテンの帯」を妹にプレゼントすることにする。その「帯」という言葉が、私にはわからなかった。アメリカ人のいう「帯」ってなんだろう。「帯」ということばは、日本のキモノにつけるものしか想像できなかったからだ。ながいこと、私はこのことにこだわっていた。『ケティー物語』は、おそらくは十九世紀末に書かれたものだったから、少女たちはながいスカートをはいていたにちがいない。そんな時代の彼女たちは、きっと、ひろい絹のサッシュをしめていて、それが「帯」と訳されたのだと、いまはそう思っている。でも、そのころは、さっぱりわからなかった。無学で原始的な十二歳は、まだ原文に照らしてみるどころか、「原文」という言葉にさえもお目にかかったことがなかった。でも、大きくなったら、「外国」に行きたい、と思った。外国に行ったら、きっといろいろなことがわかるだろう。その「外国」がアメリカなのかヨーロッパなのかは、まだわかっていなかった。

もうすぐ六十歳に手がとどくころ、私は、はじめてアメリカに旅をすることになった。もと日本に留学していた若い人が結婚してボストンにいて、私を、まるでしばらく会わなかった親類のおばさんみたいに、気軽に招待してくれたのだった。私たちは三人でマサチューセッツ州やメイン州の田舎町をたずねてまわった。びっくりするほどつめたい静かさの海があったり、赤と空色に星がちらばった、あの妙にはしゃいだような国旗のひるがえる岬に出たり、陽が照っているのに、肌があたたまらない空気のなかを、足もとがしっかりしないような、どこかたよりない気持で、私は若い友人たちのあとをついて、毎日、歩いた。

あれは、たぶん、セイレムという町にホーソーンの「七つの破風のある家」を訪ねたときだった。なんでもホーソーンは税関につとめていたとかで、彼がここから港に入る船を見ていたという、おとなひとりがやっと入れるぐらいの狭い板張りの部屋があった。小さいけれどがっしりした造りの机に、こまかく数字を書きこんだ帳簿が置かれていた。それはホーソーンの自筆ということだった。『緋文字』のような「大小説」を書いた作家が、毎日、こんな部屋にこもって、こんな数字を書きつらねていたのかと、数字ぎらいの私は複雑な気持だった。

その家の一部だったか、おなじ町にあった別の建物だったかで、案内の人が小さな子供用のベッドを指さして、こんな説明をした。これは、当時よく使われていた家具で、小さな車が下についていますから、子供が起きている昼間は、おとなのベッドの下に入れ込むようになっています。案内人はそう言いながら、その小さなベッドを、するすると背の高いおとなのベッドの下に収納してみせた。

あ、これだ、と私は思った。もうひとつ、『ケティー物語』に出てくる、実体のわからないことばが、私のあたまのすみのほうに、きっちり残っていた。それがこの「車つきベッド」だった。ケティーたちが、あるとき、日記をつけることにする。そこで、年の離れた弟たちにも、日記を書かせたらいい、とだれかが言うと、ふだんは冗談をいわないイジイ叔母さんが、口をゆがめて、いう。なんですって。あの子たちのなら、「車つきベッドの日記」とでも呼ぶんでしょうかね。そんな話ではなかったかと思う。五十年ちかくも自分のなかに『ケティー物語』の細部が、いくら窓を開けても出て行かない、しつこい煙みたいにくすぼりつづけていたのを知って、私は大声をあげそうになった。

葦の中の声

不時着したのは、いったい北海道のどの辺りだったのか。いや、北海道ではなくて千島列島だったようにも思える。季節はいつだったのか。あのとき、あの場所に彼らの飛行機が不時着したのを目撃した漁船の乗組員たちのなかには、多くはないにしても、まだ何人かは生存者がいるはずだが、その人たちに会ってみたい気がする。

リンドバーグという著者の姓も、おなじ作者が書いた他の作品についても、そして特に、かつて稀な感動で私を包みこんだ「その」文章についてもはっきり記憶していないながら、それに読みふけった日々から半世紀がすぎてしまったいま、大切な模様のところだけ黒い虫喰い穴があいてしまったなつかしい布地のように、表題だけが思い出せない。だれの訳だったのか、読んだとき、まず、アンという作者の名がしっかりと心に刻まれ、いつかは自分もこんなふうに書いてみたいという、たしかな衝動をおぼえたことも、忘れてはいない。だが、彼女と夫が乗った飛行機が不時着した葦の茂みを、あの日、灰色につつんでいたつめたい霧のように、多くのことが記憶のなかでどんよりと曇りはじめていることも認めないわけにはいかない。

戦争を境に、私は子供のときに大切にしていた本のほとんどぜんぶを失くしてしまった。とはいっても、家が戦災にあったわけではない。すべてがせっぱつまったなかで、十五歳から十六歳にかけての一年間、東京の家から関西の家へ、そのつぎは家族と別れてひとり東京の学校の寄宿舎へと移りあるいているうちに、ここで一冊、あそこで二冊と、無くしたり、そんなものは置いていらっしゃい、と言われたりしながら、セミが殻を脱ぐように子供時代を脱いでしまって、大切にしていたさして多くない宝物を、惜しいとも思わないであちこちに散らせてしまった。

そんな宝物のなかには、たしか少国民全集といったシリーズの本があって（おそらくは当局の目をくらますためにつけられたこの全集の「軍国的」な名とはうらはらに、そこには絢爛豪華という表現がふさわしい、さまざまな古今東西の名篇があつめられていて、どこにでもあった「お国のためになる子を育てる」式のあさはかなアンソロジーとはあざやかに一線を画していた。戦争中の殺伐な日々に、声をとがらせて命令しつづける横暴な軍部から日本の子供たちとこの国の文化を守ろうとして、あんなにすてきな本をつくった何人かの勇敢な選者、編集者たちを讃え、彼らに感謝したい。）、その一冊に、私がこれから書こうとしているアン・モロウ・リンドバーグのエッセイがふくまれていた。

当時、中学生になったばかりの私はその文章に心をうばわれ、あまり何度もそれについて考えたので、著者があの短い期間に日本で経験したことどもを、まるで自分が生きてしまったようにさえ思える。私の精神が歩いてきた道を辿りなおすことが可能なら、あのエッセイはその大切な部分に、上等な素材でつくった芯のようにしっかり残っているはずだ。

若い読者には関係ないと言われてしまうかも知れないけれど、著者でエッセイストのアン・モロウ・リンドバーグは、スピリット・オブ・セント・ルイス号（なんという夢にみちた美しい名だろうと私はかねがねこの名にあこがれていたのだが、最近になって、これは当時セント・ルイスの商工会議所の会頭で、この非凡な飛行家のスポンサーになってくれた人物の提案によるものだったとある本で読んで、がっかりした。詩は、ときに、思いもよらないところで生まれる）と名づけた自分の飛行機を操縦して、はじめての大西洋横断の単独無着陸飛行をなしとげた飛行家チャールズ・リンドバーグの妻だ。

チャールズ・リンドバーグが一九二七年の五月三十一日の朝、ニューヨークの飛行場を飛びたってから三十三時間後に、パリのブリュージュ飛行場に着いて、世界を興奮のうずに巻きこんだ話は、いまも私を感動させる。英雄、ということばが、まだ古代ギリシアのあかるさを保っていた時代の話なのだ。彼自身、ずっとあとになってからそのときの体験を『翼よあれがパリの灯だ』(原題はごく平凡に飛行機の名を使った"The Spirit of St. Louis" (1953) である。日本語訳は恒文社、一九九一)に書いている。だが、やがてチャールズにしたがって、いくつかの冒険飛行に参加し、「女流飛行家の草分け」といわれることになる妻のアンは、まだスミス・カレッジの学生だったころから、作家になることを夢みていたという。彼女がこの「英雄」と結婚することになったのは、ほとんど偶然といっていい出会いによるものだった。

さて、題もおぼえていないエッセイに話をもどそう。千島列島の暗い夜につながるひとつの場面が、いまもくっきりと私の記憶に浮かび上がる。千島という、当時の私にとってはアメリカやシベリアとおなじほど遠く思われた土地について語られていたことが、この文章をこれほど鮮やかに記憶することになった理由のひとつだったことはたぶん、間違いない。

「私たちはいったい、地球のどのあたりに着陸したのかも、まったくわかりませんでした」

たしか、そういう文章があって、作者と夫のチャールズは、アメリカから北廻りで「東洋」へのルートを探るための飛行の途中、葦の茂みに不時着した飛行機のなかで、救助されるのを待っている。すくなくとも、だれかと連絡がとれないことには彼らは機体から脱出できないはずだ。ドアが開かなかったのか、周囲の土地の状況がゆるさなかったのか、いずれにせよ、なにか具合のわるいことがあって、ふたりは簡単なプロペラ機の中で耳をすませ、闇に目をこらして救出されるのを待っている。アンの無線機が不時着のおりに破損したのだったかもしれない。悪天候のせいか、あるいは早い北国の日没のせいなのか、あたりはまっくらだ。アンも、夫のチャールズも、この葦の茂みが、人間の棲む土地に続いているのか、まったくの無人島なのか、すべては肉眼でしか確かめられない時代だったから、いったん無線連絡が不可能となれば、すべてはお手あげだった。機体がばらばらになることもなく、火災や大怪我からもまぬがれ、どうにか着陸に成功はしたものの、もしこれが無人島なら、この先、生きのびられるかどうかの保証はない。

この暗闇の中の時間はどれくらい続いたのか。息をつめて読む私に長く感じられたのだから、あてもなく待っていたふたりにとっては、無限と思えたに違いない。絶望に似たその時間は、しかし、不意に終る。葦の茂みを通して、人声が近づいてきたのだ。（関西の家の近くに大きな用水池があって、その一角に葦が繁っていた。私はある夏の日、そこに出かけていって、リンドバーグになったつもりで、池のそばを通る農夫たちの声に耳を澄ませたことがある。寒い千島とはちがって、まぶしい太陽がとろりとした緑の水面に照り返していた。）

夫妻が耳にしたのはまぎれもない人間の声だった。夫妻がたぶん無事に救済されるだろうことを意味するその人声が、なにを話しているかはむろん彼らにはわからない。でも、それはまさしく死のこちら側の声だった。

千島列島での不時着から救出されるまでの時間をアン・リンドバーグの文章が語っていたのは、要するにこれだけのことだった。死のこちら側の声などという表現がたとえ使われていたとしても、中学生の私になにが理解できただろう。それは、遠くで行なわれていたはずの戦争が、すこしずつ身近なものに変りはじめ、いまでいう中学校の一、二年だった私たちまでが、勤労動員という名のもとに、勉強をそっちのけにして工場に狩りだされた時代だった。空襲がまもなくあるだろう、そして、それが私たちひとりひとりの死につながることになるかも知れないと言われても、現実感は皆無にひとしかった。朝、家を出るとき、行ってまいります、今日、空襲で死ななかったら、夕方に会おうね、と挨拶して、母が青ざめたのに笑いころげるほど、死は私たちの感覚から遠かった。

それでも、私は吸い込まれるように、暗い葦の茂みを伝わって聞こえてきた人間の声についての物語に惹かれた。年齢のわりに幼稚な私だったが、人が孤独の中で耳にする人間の声のなつかしさ、というような感覚を、あのとき、自分なりにではあっても、はっきりと読みとったように思えてならない。文章のもつすべての次元を、ほとんど肉体の一部としてからだのなかにそのまま取り入れてしまうということと、文章が提示する意味を知的に理解することは、たぶんおなじではないのだ。幼いときの読書が私には、ものを食べるのと似ているように思えることがある。多くの側面を理解できないままではあったけれど、アンの文章はあのとき私の肉体の一部になった。いや、そういうことにならない読書は、やっぱり根本的に不毛だといっていいのかも知れない。

ここまで書いてきて、思いがけなくもうひとつの考えが浮かんだ。アン・リンドバーグのエッセイに自分があれほど惹かれたのは、もしかすると彼女があの文章そのもの、あるいはその中で表現しようとしていた思考それ自体が、自分にとっておどろくほど均質と思えたからではないか。だから、あの快さがあったのではないか。やがて自分がものを書くときは、こんなふうにまやかしのない言葉の束を通して自分の周囲を表現できるようになるといい、そういったつよいあこがれのようなものが、あのとき私の中で生まれたような気もする。もちろん、それをそれとしてはまったく気づいていなかったし、そのまま学校の作文につなげて考えるには、教室は、あまりにも読書のよろこびや書くことの愉しさから隔離された場所だった。作文の時間というのが、私にはひどく面映ゆく、数学とは違った種類の苦しみだった。

いまでも、目をつぶると、アンが夫とふたりで、おそらくは自然の中で人間はどれほど無力かという苦い自覚につつまれて、息をひそめるようにして葦の中で救出を待った時間が私の中をしずかに通りすぎる、その耳に聞こえない音が伝わってくるようだ。そして、闇のむこうから近づいてくる人たちの声が。それはなつかしい人間の声だった、というふうにアンは書いていた。それは日本語だった、とも。

このエッセイが私にくれた贈物は、それだけではなかった。もうひとつ、忘れられない箇所があった。それを読むまえと読んだあとでは、私のなかでなにかが化学変化をおこしてしまうような、ひとつの「重大事件」にひとしいほどの、めざましい文章だった。

千島列島の海辺の葦の中で救出されたあと、リンドバーグ夫妻は東京で熱烈な歓迎をうけるが、いよいよ船で（どうして飛行機ではなかったのだろう。岸壁についた船とその船と送りに出た人たちをつなぐ無数のテープをえがいた挿絵をみた記憶があるのだが）横浜から出発するというとき、アン・リンドバーグは横浜の埠頭をぎっしり埋める見送りの人たちが口々に甲高く叫ぶ、さようなら、という言葉の意味を知って、あたらしい感動につつまれる。

「さようなら、とこの国の人々が別れにさいして口にのぼせる言葉は、もともと「そうならねばならぬのなら」という意味だとそのとき私は教えられた。「そうならねばならぬのなら」。なんという美しいあきらめの表現だろう。西洋の伝統のなかでは、多かれ少なかれ、神が別れの周辺にいて人々をまもっている。英語のグッドバイは、神がなんじとともにあれ、だろうし、フランス語のアディユも、神のみもとでの再会を期している。それなのに、この国の人々は、別れにのぞんで、そうならねばならぬのなら、とあきらめの言葉を口にするのだ」

ここで私は、三つの日付に言及しなければならない。アンが夫と「東洋」への空路を辿ったのは一九三一年で、彼女がこの本をまとめたのが一九三五年、しかし、このふたつの日付のあいだに、リンドバーグ夫妻は一歳半の長男チャーリーが子供部屋から何者かに攫《さら》われて惨殺されるという、世界を震えあがらせた恐ろしい事件に遭遇している。（容疑者が捕らえられ、処刑された後も、この事件には忌わしい疑惑がまといついているのだが。）当然のことだけれど、それは、若い両親はもとより世界中の人びとを恐怖におとしいれた残酷な事件として、多くの人を震えあがらせた。一九三二年の冬のことである。「別れ」ということばが、アンのなかで「神とともに」から「そうならねばならぬのなら」というあきらめの言葉に変ったのが、この日付を境にしてのことではないかと推定するのは、不謹慎にすぎるだろうか。

長い年月を経たいま、アンの文章（そして誰の手になったのか、美しい翻訳）を正確に記憶しているという自信はまったくないし、当時は誘拐事件についても私自身、無知だったうえ、あきらめ、ということが美徳とはとても思えない年頃でもあったのだが、これを読んだとき、彼女の書いていることが、かぎりなく自分にとって新しい、大切なことに思えたことは確実だ。

葦の中の声が、自分が従うべきひとつの描写の規範、文章のあり方として私をとらえたのなら、さようなら、についての、異国の言葉にたいする著者の深い思いを表現する文章は、私をそれまで閉じこめていた「日本語だけ」の世界から解き放ってくれたといえる。語源とか解釈とか、そんな難しい用語をひとつも使わないで、アン・リンドバーグは、私を、自国の言葉を外から見るというはじめての経験に誘い込んでくれたのだった。やがて英語を、つづいてフランス語やイタリア語を勉強することになったとき、私は何度、アンが書いていた「さようなら」について考えたことか。しかも、ともすると日本から逃げ去ろうとする私に、アンは、あなたの国には「さようなら」がある、と思ってもみなかった勇気のようなものを与えてくれた。

年月がすぎていくあいだに、私は遠い記憶をもとに、いろいろな人にむかし読んだこの文章の魅力について話した。アンの名を知らない人がほとんどだったが、大西洋横断飛行のリンドバーグの夫人だというと、ああ、とチャールズのことを思い出す人もいた。どういう機会だったのか、あるとき私は母にこの話をした。私がリンドバーグという名をあげると、母は——まったく予期しないことに——ああ、あの大西洋横断飛行の人ね、と即座に言い、さらにこうつけくわえた。たいへんだったのよ、あの人は。赤ん坊だった息子が誘拐されて殺されちゃったのよ。どうあっても情報の人ではなかった母がそんなことをくわしく知っていたのが意外で、私はあっけにとられ、とっさに反応することができなかった。あとになって年齢をくってみると、殺されたリンドバーグ家の長男は妹とおないどしだった。若い母にとっては、他人事ではなかったのだろう。

さらに時間が経って、まったく関係のない調べものをしていたときに、アンの最初の著書の表題が、『北から東洋へ』"From North to Orient"だということを知った。これこそ、かつて私を夢中にさせたあの千島での不時着陸のときの文章がのっている本に違いないとは思ったけれど、それも手に入れる方法をもたないまま、また月日が流れて、私は大学を卒業し、フランス留学から帰って、放送局に勤務していた。ある日、友人がきっときみの気に入るよ、と貸してくれた本の著者の名が、ながいこと記憶にしみこんでいたアン・モロウ・リンドバーグだった。この人についてならいっぱい知っている。『海からの贈物』というその本は、現在も文庫本で手軽に読むことができるから、私の記憶の中のほとんどまぼろしのようなエッセイの話よりは、ずっと現実味がある。手にとったとき、吉田健一訳と知って、私はちょっと意外な気がしたが、尊敬する書き手があとがきでアンの著作を賞讃していて、私はうれしかった。もしかしたら、戦争中に読んだあの文章も、おなじ訳者の手になったのではなかったかという思いがあったが、そのころの私はそういうことをきちんと調べる習慣をもっていなかった。

一九五五年に出版された『海からの贈物』は、著者が夏をすごした海辺で出会ったいろいろな貝がらをテーマに七つの章を立てて、人生、とくに女にとって人生はどういうものかについて綴ったもので、小さいけれどアンの行きとどいた奥行のある思索が各章にみち美しい本である。たとえば、つぎのような箇所を読むと、ずっと昔、幼い日に私を感動させたあの文章の重みが、もういちど、ずっしりと心にひびいてくる。

「今日、アメリカに住んでいる私たちには他のどこの国にいる人たちにも増して、簡易な生活と複雑な生活のいずれかを選ぶ贅沢が許されているのだということを幾分、皮肉な気持になって思い返す。そして私たちの中の大部分は、簡易な生活を選ぶことができるのにその反対の、複雑な生活を選ぶのである。戦争とか、収容所とか、戦後の耐乏生活とかいうものは、人間にいや応なしに簡易な生き方をすることを強いて、修道僧や尼さんは自分からそういう生き方を選ぶ。しかし、私のように、偶然に何日間か、そういう簡易な生活をすることになると、同時に、それが私たちをどんなに落着いた気分にさせるものかということも発見する」

「我々が一人でいる時というのは、我々の一生のうちで極めて重要な役割を果たすものなのである。或る種の力は、我々が一人でいる時だけにしか湧いてこないものであって、芸術家は創造するために、文筆家は考えを練るために、音楽家は作曲するために、そして聖者は祈るために一人にならなければならない。しかし女にとっては、自分というものの本質を再び見いだすために一人になる必要があるので、その時に見いだした自分というものが、女のいろいろな複雑な人間的な関係の、なくてはならない中心になるのである。女はチャールズ・モーガンが言う、『回転している車の軸が不動であるのと同様に、精神と肉体の活動のうちに不動である魂の静寂』を得なければならない」（新潮文庫）

半世紀まえにひとりの女の子が夢中になったアン・モロウ・リンドバーグという作家

の、ものごとの本質をきっちりと捉えて、それ以上にもそれ以下にも書かないという信念は、この引用を通して読者に伝わるであろう。何冊かの本をとおして、アンは、女が、感情の面だけによりかかるのではなく、女らしい知性の世界を開拓することができることを、しかも重かったり大きすぎたりする言葉を使わないで書けることを私に教えてくれた。徒党を組まない思考への意志が、どのページにもひたひたとみなぎっている。

星と地球のあいだで

ある言葉に一連の記憶が池の藻のようにからまりついていて、ながい時間が過ぎたあと、まったく関係のない書物を読んでいたり、映画を見ていたり、ただ単純に人と話していたりして、その言葉が目にとまったり耳にふれたりした瞬間に、遠い日に会った人たちや、そのころ考えたことなどがどっと心に戻ってくることがある。私の場合、それが外国の言葉、とくに動詞であることが多いように思えるのだが、その言葉に出会ったのが成人してからであるのと、どこかで繋がっているのではないか。

アプリヴォアゼ、apprivoiser は、フランス語で、飼いならす、などと意味する動詞だが、私がこの言葉をおぼえたのは、大学の授業でアントワヌ・ド・サンテグジュペリの『ル・プティ・プランス』（星の王子さま）を勉強していたときだった。何年ものあいだ私を捉えて放さないことになるこの本を、あの十人ほどしか学生のいない初級フランス語のテキストに選んだのはマドモアゼル・V《ヴィ》で、彼女はその年の春、私たちの大学で教えはじめたばかりだった。

マドモアゼル・Vはサイゴンから来たひとで、お父さんはフランス人、お母さんがヴェトナムか中国の人らしいのだった。うるしのように黒い髪、黒い瞳、そして蚕の白い繭を思わせる磁器のような彼女の肌には、地中海の青さ、とそのころ私が自分勝手に思いこんでいたあかるいブルーのカーディガンがよく似合った。子どものころに患ったポリオのせいで、小ぶりな杖をつかって、片足を重たそうにひきずって歩くマドモワゼル・Vを、授業のまえにはいつもクラスのだれかが、教授たちの控え室まで迎えにいき、彼女が教壇にあがるときには、学生のだれかが駆け寄って手を貸した。

どうして、あの人が私たちの大学で教えることになったのか、彼女が住んでいた愛育病院から仙台坂にぬける麻布の界隈を通っていて、学生のころはそれほど気になったとも思えない疑問なのに、だれかに聞いてみたいと思うことがある。正規の教員免状をもっていたのか、フランスの大学受験資格試験に受かったからだったのか、もしかしたら、発音や言いまわしが美しいというだけの理由で教師に選ばれたのではなかったか、それともすこしは英語が話せるというだけのことだったのか。私たちが卒業するころ、彼女はもう大学で教えるのをやめて、フランスに帰るということだったが、いまもどこかで元気にしているのか、会って話したい気もする。教師としては、どう考えても教育熱心というのからはほど遠い感じで、授業そのものも、時間の大半は、ものうい響きのある彼女のきれいなフランス語を、ただのんびり聞いているだけで終始し、あとは先生の質問に英語で答えればよかった。日本語は片言ていど話せるけれど、読むほうはぜんぜん、というふうだった。

一九四九年のころ、私は大学の三年生だったが、『ル・プティ・プランス』はまだ日本語に訳されていなかったし、サンテグジュペリという人の名も知られてなかった。そればかりか、この本がテキストということに決まってからも、いや、それを使っての授業がはじまってからでさえ、クラスのだれもその本をもっていないという、いま考えるとうそのような話だった。

私たちが本をもっていなかったのは、しかし、授業に無関心だったからでも、買うお金がとくになかったからでもない。もちろんコピー機はまだ存在もしないころだったし、そもそもフランスの本など、どうすれば手に入るのか、外国の本といえば、いつも人から、はい、といって与えられるだけだった私には見当もつかなかった。『ル・プティ・プランス』は学年はじめに書店からとどくクラス指定の教科書リストにも載っていなかったのだから。

マドモアゼル・Vの授業にと指定されていたのは、たしか『レトワル・デュ・マタン』(朝の星=暁星)という題の、学年ごとにだんだん難しくなっていくタイプのリーダーで、本と同じ名のミッションスクールの先生たちが編纂したといわれる、いかにも古びた、そしてあきらかに男子校用の教科書だった。ジャックとベティーならぬ、タローとジローとハナコという三人の少年少女(さし絵のタローとジローは、むかしふうにかすりのきものを着ていて、まだ小さいジローとハナコは、白いエプロンをつけ、タローはときどき、学生帽をかぶっていた)が主人公で、彼らの日常生活が簡単なフランス語で説明され、生徒は一課ごとに、あたらしい動詞の活用や名詞の変化、前置詞の使い方などを覚えていくという仕掛けだ。

マドモアゼル・Vが私たちの大学で教えることに決まったとき、たぶん、フランス語教育をそれまでは一手にとりしきっていたリュクセンブルグ人のシスターに、はい、これが教科書です、と手わたされたのを、彼女はろくに中身を検討することもしないで、テキストに決めてしまったにちがいなかった。授業がはじまってから、私たち同様、彼女自身もその教科書の古色蒼然としたナレーションにどぎもを抜かれ、私たちは、タローやジローみたいな子どもは、もう、いまの日本にはいません、と日本のことはあまり詳しくなさそうなマドモアゼル・Ｖに説明するのに汗だくなのだった。

秋になって動詞の活用をやっとひと通り習ったかというあたりで（条件法とか接続法とかについての説明はほとんどなかった！）、マドモアゼル・Ｖが、ある日とつぜん告白した。このテキストは、ぜんぜんおもしろくないですねえ。私たちは驚いて彼女の顔を見た。本を選んだはずの本人が率先してそんなことを白状するなんて。そして、次の週の授業に彼女がにこにこ顔でもってきたのが『ル・プティ・プランス』だった。このほうが、ずっと、いいです、といいながら。

ずっといいのかわるいのか、テキストとして適当なのか不適当なのか、当時、英語とラテン語だけで四苦八苦だった私たちにとって、フランス語の教科書など、ほとんどなんでもよかった。単位さえとれれば。でも、そのためにはどうしても、マドモアゼル・Ｖとなかよくやっていかなければいけない。どこで買えるのかたずねもしないまま、『ル・プティ・プランス』は、こうしてその日から私たちフランス語初級クラスの、「名ばかり」の教科書になった。

ものうい声でマドモアゼル・Ｖがゆっくりその本を読みあげる。初級文法も満足にすませていない私たちには、ほとんど彼女が読んでいることの内容がわからない。わかりませえん、というと、わかりなあい？　と怪訝な顔をして私たちをじっと眺めてから、マドモアゼルはゆっくり立ち上がって、黒板になにやら書いて説明する。それで、理解できることもあり、できないこともあった。あるとき、彼女は、ぶよぶよのソフト帽みたいに見えるあの有名な絵を黒板に描いて、これはなんですか、とたずねた。ボーシ、と私たちは答えた。A hat! ちがいまあす。彼女はうれしそうに笑ってから、その帽子の縁の部分の右端のちょっと先がまるくなったところに（左側の先っちょは、細くとんがっている）、ぐりぐりとチョークの先で小さな点を描いてからいう。エレファン食べたスネイクですねえ。冗談なのかなんなのか、よくわからないから、私たちは控え目に笑っていると、彼女は手まねきして、みなを教壇の自分のまわりに集まらせ、本を見せてくれた。ゾウを呑んだヘビの次のページには、マフラーを風になびかせた、ぎざぎざに描いた金髪の男の子の絵があった。ワスレナグサみたいに青い目だった。

きょうは、これを貸してあげます。そういって、クラスの終りにマドモアゼル・Vは本を置いて帰ることもあった。私たちはそれをじゅんばんにまわし、自分のところにくると、何ページかをノートに写した。そして、気のむくままに、ところどころを、辞書と首っぴきで日本語に訳してみる。意味のわかる箇所よりも、わからない箇所のほうが多かったのはいうまでもない。

秋が深まっても、マドモアゼル・Vはひたすら朗読をつづけた。私たちも、最初のときほど無理解の闇に浸かったまま、というのではなく、大体、どんな本らしいとわかりはじめて興味もあるのだが、こうしてただ読まれると、おおむねはお手あげである。それでも私たちは、いっしょうけんめいに、彼女の哀愁をおびた、透明な声が、秋が開け放たれた窓から匂ってくる教室にひびきわたるのを、これがフランス語か、と耳をかたむけていた。

アプリヴォアゼ、という動詞が出てきたのは、そんな朗読も終りに近いあたりだった。砂漠の中に不時着した飛行士が星の王子さまから聞いたキツネとなかよくなる話だ。ぼくは、まだ、きみにアプリヴォアゼされてないから、とキツネがいう。ぼくときみのあいだには、なんの関係もない。きみとぼくとのあいだに関係をつくるとする、それがアプリヴォアゼさ。

教科書がないから、私たちは、ところどころでマドモアゼル・Vがおぼつかない英語と日本語をまぜてこころみる説明がたよりだ。でもアプリヴォアゼはいかにもむずかしかった。日本のフランス語の辞書が、まだ、おそろしく貧弱な時代でもあった。マドモアゼル・Vはあらゆる身振り手振りをつかい、優しい声になったり、ちょっと怒ってみせたりしながら、この言葉を学生たちに理解させようと躍起になった。そのころ、ジェスチュアという、ひとつのグループが提出した言葉を、もうひとつのグループが身振りであてさせるゲームが流行っていて、私たちは半分笑いながら、半分、まじめにマドモアゼルの説明を理解しようとした。あっ、きっと「なつかせる」とか「飼いならす」とか、そういった意味じゃないかな、とだれかが思いつくまで、どれくらいの時間が経過しただろう。それがわかった瞬間から、アプリヴォアゼは、すくなくとも私にとってサンテグジュペリとマドモアゼル・Vを結ぶ大切なよすがになったのである。

冬も近いころ、マドモアゼル・Vが、かわいらしい三歳ぐらいの混血の男の子を養子にもらった。かわいらしい、といかにも見たように書くのは、彼女がときどき、自分でミシェルと名づけたその子を連れて教室に来るようになったからだ。ミシェルは栗色の髪の、色白で目もとのすずしい子だったが、日本人とアメリカ兵のあいだに生まれたのを、なにかの事情でマドモアゼルが養子にしたのだった。授業のあいだ、その子はおとなしく、教壇に腰かけて絵本を読んでいた。その子が教室にいたので、『星の王子さま《ル・プティ・プランス》』は、私たちにとってより近い存在になったかも知れない。

ニワトリばかり探しているキツネとはちがって、王子さまはともだちを探していた。でも、キツネは王子さまにこういって教える。「いきなりはむりだよ。だんだんと相手になついたとき、私たちは相手にとってかけがえのないものになるんだよ」それから、「みんなはね、特急列車に乗りこむけれど、いまではもう、なにをさがすために列車に乗るのか、わからなくなってる」とか「たいせつなことはね、目に見えないんだよ」なんて、迷子の飛行士にずいぶん大事な話をしてから、置き去りにしてきた花の面倒をみるために、つらい思いをしてでも、やっぱり自分の星にかえっていく淋しがりやの王子。最初は、なんだか子どもの本みたいなものを、と不満だったのが、読みすすむうちに、きらめく星と砂漠の時空にひろがる広大なサンテグジュペリの世界に私たちは迷いこみ、すこしずつ、深みにはまっていった。いや、迷っていたのは、クラスで私ひとりだったかもしれない。それまでに読んだどんな話よりも透明な空想にいろどられていながら、人間への深い思いによって地球にしっかりとつなぎとめられたサンテグジュペリの作品は、他にも読むべき古典がたくさんあるのをながいこと私に忘れさせるほど、夢と魅惑に満ちていた。

飛行家のアン・リンドバーグが書いたものに揺りうごかされ、いつか自分もこんなものを書けたらと思ったのは、十二、三歳のころだったけれど、それからまた六、七年たって、ふたたび私の心をつよく捉えたこの作家が、これまた飛行家というのは、それにしてもどういう偶然だったのか。

大学を出た年の夏、自分の行くべき方向を決めかねてそのために体調をくずしていた私は、何人かの友人の誘いにのって信州の山の町に出かけた。私にとっては、家や両親という関係に背を向けた、はじめての自分の旅だった。荷物のなかには、ちょうどそのころに書店に出ていた『夜間飛行』と『戦う操縦士』が入っていた。招かれた友人の家から出かけようとしない私のところに、別の友人が『チボー家の人々』全巻を運んできてくれた。サンテックスとマルタン・デュ・ガール、そしてあの暗い夏、私をとりかこんでくれた友人たちと信州の山々のひかりに、私はひとつの大きな危機を超える力を贈られた。

ジグザグのように歩いてきたながい人生の道で、あのとき信州にもっていったサンテグジュペリの本のうち、『戦う操縦士』だけが、どんなめぐりあわせだろう、傍線・付箋だらけになってはいるが、まだ私の手元にある。黄ばんだ紙切れがはさまった一二七ページには、あのときの友人たちに捧げたいようなサンテックスの文章に、青えんぴつの鉤カッコがついている。

「人間は絆の塊りだ。人間には絆ばかりが重要なのだ」

あの夏、私は生まれてはじめて、血がつながっているからでない、友人という人種に属するひとたちの絆にかこまれて、あたらしい生き方にむかって出発したように思う。マドモアゼル・Vがミシェルを引きとることにしたのも、彼女なりの出発だったかもしれない。

もうひとつ、やはりこの本で読んだ、私にとって忘れることのできない文章がある。人生のいくつかの場面で、途方に暮れて立ちつくしたとき、それは、私を支えつづけてくれた。いや、もうすこしごまかしてもいいようなときに、あの文章のために、他人には余計と見えた苦労をしたこともあったかもしれない。若いひとたちにはすこし古びてみえるかもしれないけれど、堀口大学の訳文をそのまま、引用してみる。

「建築成った伽藍内の堂守や貸椅子係の職に就こうと考えるような人間は、すでにその瞬間から敗北者であると。それに反して、何人にあれ、その胸中に建造すべき伽藍を抱いている者は、すでに勝利者なのである。勝利は愛情の結実だ。……知能は愛情に奉仕する場合にだけ役立つのである」

自分が、いまも大聖堂を建てつづけているか、それとも中にちゃっかり座りこんでいるか、いや、もっとひどいかも知れない。座ることに気をとられるあまり、席が空かないかときょろきょろしているのではないか。パリ、シャルトル、ランスとはじめはゴシックの、それからはロマニックの大聖堂をたずね歩いた留学生のころ、寄贈者の名を彫った小さな真鍮の札のついた聖堂のなかの椅子を見るたびに、また、自分がこうと思って歩きはじめた道が、ふいに壁につきあたって先が見えなくなるたびに私はサンテグジュペリを思い出し、これを羅針盤のようにして、自分がいま立っている地点を確かめた。

サンテグジュペリの本を開けることも、フランスの大聖堂をたずねることもなくなって長い歳月が過ぎた今年の春、ある仕事のために『人間の土地』を読んで、ながい時間が過ぎたことにある感慨をおぼえた。だが、古典はいつも磨かれたダイアモンドのような多面性で私たちをおどろかせる。そのとき、あたらしく私の心を捉えたのは、自分がこれに没頭していた四〇年代のおわりから五〇年代の半ば頃には、まだ一般にはそういう基準で考えられていなかった、したがって私自身もまったく気づかなかった、サンテックスの地球的な視点だった。

たとえば『人間の土地』には、「飛行機とともに、われわれは直線を知った」という文章がある。牛や羊に依存していた人たちによってつくられた、くねくねと曲った道をたどっていた時代の社会的通念と、都市と都市を直線でつなげることを知った空からの視点を人間が手に入れた時代のそれとは大きく変わるはずだということを、このみじかい文章は指し示しているが、これは宇宙飛行士の視点に通じるものに他ならないだろう。空から地球を見るようになって、とサンテグジュペリは書いている。「わたしたちは、(……)宇宙的尺度で人間を判断することになったのだ。人間の歴史を(もういちど)さかのぼって読むことになったのだ」

ロマン主義が私たちをながいこと「個人」の領域にのめりこませ、不必要に閉じ込めてきた。あたらしい尺度の探求は、たぶん、人類ぜんたいの行く末を見定めながら行なわれるものになるだろう。それといっしょに、文学も建築も道路も、すこしずつ変っていくはずだ。

「なにゆえ、憎みあうことがあろう？」彼はこんなふうにも書いている。「おなじ遊星によって運ばれるわたしたちは、連帯責任を担っているし、おなじ船の乗組員だ。新しい綜合をはぐくむために諸文明が対立するのはよいことだが、たがいに喰い合いをするなどとんでもないことだ」

アン・リンドバーグにせよ、サンテグジュペリにせよ、飛行機をつかって空から地球を「見てしまった」作家たちが、人間について、それまでになかった総合的な視野をもつようになるのは、当然かもしれない。それでも、私は、こうしたサンテグジュペリの文章が一九三九年に発表されていたことを思い合わせると、愕然とせずにいられない。ずいぶん、ながいことサンテグジュペリを読みながら、そして、ほとんどそれに負けないくらい長いこと、飛行機で旅をしながら、私は、空からの視点が人間の書くものを変えるだろうとは、考えてもみなかった。いったい、サンテグジュペリのなにを読んでいたのか、といわれるかもしれない。

自分が飛行機というものを旅の手段として考えるようになったのは、五〇年代のはじめだった。一度、飛行機で連れていってやろう、と父が妹と私を東京・大阪の旅客便に乗せてくれたとき、私たちは恐怖と緊張のあまり、はじめからおわりまでまっ蒼になっていて、とても空からの景色を愉しむどころではなかった。二度目は、どういうことだったか、のっぴきならない事情があって、私ひとりが大阪・東京の最終便に乗ることになった。父が心配して伊丹の飛行場まで送ってくれたのだが、乗ってみると、幼いころの同級生がステュワデスとして搭乗していたので、こわさを忘れた。十五歳のとき、戦争で別れて以来、会っていなかった。

飛行機がまもなく羽田に着くというときに、彼女が私をコックピットにさそってくれた。なんという機種だったのか、予想外に狭く思えた操縦室に足をふみいれたとたん、暗い空の額縁のなかで、光にいろどられてまたたきつづける東京が眼下にひろがるのを見て、息をのんだ。だが、そのとき、聞きなれたチャールズ・リンドバーグのフレーズ「翼よ、あれがパリの灯だ」を思い出しはしても、それを新しい視点からものを見ることへの出発点と考えることも、そこにあたらしい人間についての思想を読みとることも、私にはできなかった。サンテグジュペリはこんなふうにも書いている。

「わたしの目は、アルゼンチンでの最初の夜間飛行の折、星々のように、草原のなかに散在する数すくない灯火がまたたいているだけの、暗い夜の模様が永遠に灼きついている。

そのひとつひとつは、闇の大洋のなかで、人間の意識の奇跡を告げ知らせていた。ある家では、読書をしたり、もの想いにふけったり、自己告白をつづけたりしていた。別の家では、おそらく、空間に探りを入れようと努力し、アンドロメダ星雲にかんする計算に懸命だった。あるところでは愛が営まれていた。ぽつんぽつんと、田園のなかに、それぞれの糧を求める灯が輝いていた。詩人、教員、大工の灯のような、もっともつつましやかな灯までがあった。だが、それら生きている星々のなかには、なんと多くの閉ざされた窓が、なんと多くの光を消した窓があったことか。なんと多くの眠りこけた人間がいたことか……。

たがいに結びつくように試みなければならない。田園のなかにぽつんぽつんと燃えているそれらの灯のいくつかと通じ合うよう努力しなければならない」

サンテグジュペリが、ドイツ軍に占領されたフランスの解放をねがって、北アフリカで軍事行動に参加中、一九四四年、偵察飛行に出たまま行方不明になったという話が私の意識を刺しつづけた。自分は中学生だったとはいえ、戦争中なにも考えることなく軍事政権のいうなりになっていたことが口惜しく、彼のような生き方への憧憬は年齢とともに私のなかでつよくなった。行動をともなわない文学は、というような口はばったい批判、理論ともいえないような理論を友人たちと論じてすごした時間を、いまはとりかえしたい気持だし、自分は、行動だけに振れたり、文学にとじこもろうとしたり、究極の均衡（そんなものがあるとすれば、だが）に到るのはいつも困難だった。自分にとっては人間とその運命にこだわりつづけることが、文学にも行動にも安全な中心をもたらすひとつの手段であるらしいと理解するまで、ずいぶん道が長かった。

『戦う操縦士』とともにもう一冊、おそらくはフランスに留学する直前に買った、ガリマール書店版の『城砦』が本棚にある。ページも、そのあいだに入れた手製の栞も、茶色に古びているけれど、あるページには濃いえんぴつで、下線がひいてあった。

「きみは人生に意義をもとめているが、人生の意義とは自分自身になることだ」

さらに、表紙の裏にはさんであった封筒には、だれかフランス人が書いたと思われる授業料のメモらしい数字と名前の下に、あのころの私の角ばった大きな字体で、サンテグジュペリからの言葉が記されていた。

「大切なのは、どこかを指して行くことなので、到着することではないのだ、というのも、死、以外に到着というものはあり得ないのだから」

ひらひらと七月の蝶

高台の家の窓からは、冬の夕方、赤やうすむらさきに染まった空のむこうに、逆光のなかの富士山が小さくみえる日があった。家に近い、もう暮れかけた光林寺《こうりんじ》の境内には、ささらを逆さにしたような欅のこずえがしらじらと光っている。すこし顔をうつむけると、ほとんど真下に、勾配を上手に使った隣家の庭があって、着物姿の小柄な老人が、手を腰にあてたかっこうで空を見上げている。

父の転勤で私たちが麻布本村町に住むようになったのは私が九歳のとき、一九三八年のことだった。どうして麻布にしようって考えたの、芝でも目黒でもなくて。父にたずねたことがある。おまえたちの学校にも近いし、会社からも便利だ。それに、外国の大使館があちこちにあって、緑が多いのがいいと思った。父は自信ありげだったが、なるほど、二階の西の部屋と私たちが呼んでいた風呂場の上の洋間からの眺めは、四季を通じて緑に彩られた。とくに、若葉のころになると、光林寺の雑木林ばかりでなく、フランス大使館のある富士見町一帯が、さまざまな色合いの緑に煙って、私たちをうならせた。

明治末期に建ったというその家は、もとは純粋な日本家屋だったのを、あとでいくつかの洋間と台所の部分をつけ足した、いわば典型的な大正期の山の手ふう建築だった。でも、モダニズムに浮かれていた夙川の、新しいものが好きな父が建てさせた家に慣れた私や妹の目には、この家の老人臭さばかりが目立った。部屋数はけっこうあったのに、東京に着いた最初の夜、引越しを手伝ってくれた若い叔父たちともども集まった六畳の茶の間も、その横の風呂場も、ひどく手狭にみえ、くすんだ木材の色にまで気持が萎えた。関東大震災にも崩壊をまぬがれたのだから、とおとなたちはこの家の造りの頑丈さを褒めたが、地震というものを経験したことのなかった私や妹には、ゆがんで傾斜したまま化石のようになった二階の廊下など、ひたすら気味がわるいだけだった。悪口ついでに書いてしまえば、玄関わきのとってつけたような和洋折衷の応接間も、官が中心の東京らしいこけおどしに見えて、うさんくさかった。

うちはビンボウになったの、とその夜、妹が母にそっとたずねて、おとなたちをどっと笑わせたが、部屋のすみに重ねた座布団に腰かけてみなの顔を眺めていた私も、津波のように寄せてくる不安をどう処理してよいのかわからないで、しょんぼりしていた。本来なら父に似て新しずきのはずなのに、その夜ばかりは、まるでシベリアの流刑地に送られた囚人同様で、ただ心細いのだった。

その家になじめなかったもうひとつの原因は、庭の狭さだった。それも面積そのものの狭さよりは、中途半端に数寄屋じみた庭の造りが自分の中のなにかをしばりつけるようで、私をいらだたせ、息苦しくさせたのと、陽あたりが悪くて、湿気が多いことだった。やや急な勾配になったその庭は、奥行き十五メートルほどのところで行きどまりになっていたが、その下にある家の庭とは小さな崖で区切られていた。その境界線に、崖下の住人たちが目かくしに植えた一列の椎の木が、私たちの家の座敷や茶の間からの眺めを、厚ぼったい、無神経な葉むらでさえぎっていた。枝が傍若無人にこちらの庭にまで伸びているのが、たとえなくうっとうしくて、母たちはあの枝のせいで、家のなかがじめじめするとこぼした。

こんな庭、花もなにも植えられなくてつまらない。あまり私が不平をいうので、あの出ぎらいで人見知りする母が、一度だけ、菓子折をもって崖下の家をたずねたことがある。せめて枝をはらっていただけないかと頼みに行ったらしいのだが、相手はその辺りで権勢をふるう地主の屋敷だったとかで、おまけに交渉などなによりも不得意な母だったから、なんだかうまく言いくるめられて帰ってきた。

むろん、いやなことばかりではなかった。

その家には、たとえば、朝夕、空気をつたわってきて私たちをよろこばせてくれる、さまざまな音があった。夙川の家では聞いたことのない、私たちを街の暮しにしっかりと組みこんでくれ、それでいて生活の哀しさを重くひきずるような街の音だった。そのほとんどが崖下の通りから聞こえてきたのだが、冬の朝は納豆売りの、若々しい、ときにはまだ子供子供した、威勢のいい呼び声、夜はおそくまで、地の底でだれかが泣いているような支那そばのチャルメラ。そして、道に迷った旅人みたいに、芝浦沖を通る船がぼうっ、ぼうっと汽笛を鳴らしつづける霧の朝は、寒さもいちだんときびしかった。

最初はおそろしいだけに聞こえた早口な東京言葉にもだんだん慣れてくると勇気が出て、学校の行き帰りにも、すこしずつ愉しみがふえた。妹と私が、学校が終わって家まで歩いて帰る時間を、母が茶の間の電気時計で毎日計っていたから、道草というほどの道草はできない。それでも、町工場のゴミの中から、旋盤の機械でおもしろいように削り出される金属のクズをひろったり、雲母《うんも》のカケラのすこしでも大きいのを探そうとして、時間を忘れてしまうこともあった。いったいなにしてたの。制服のポケットからハンカチに包んだ拾い物を出して見せると、母は、そんな男の子みたいなものばっかり、となさけながった。

雲母はエイゴで《マイカ》っていうんだよ、と教えてくれた町工場の年とった工員に、学校の行き来に手をふって挨拶したり、お小遣いをためて、五ノ橋のたもとに開店したばかりの《花よし》さんで、花束をつくってもらうこともあった。いがぐり頭の面長なおじさんが、おじょうちゃん、おまけだよ、とそえてくれた母の好きな桔梗の花を、家まで走り通してもって帰ったこともある。べっこう飴屋が、麦わらにくっつけた飴をふくらませて、あっというまに鳩やタヌキを作るのにも震えるほど感心したし、自転車に紙芝居をつんできた老人が、まるで軍隊かなんぞのように子供たちに気をつけをさせて並ばせ、うろうろしてる子にむかって大声でどなるのに、こわくなって逃げ出したこともある。

そのうえに、二階からの眺めがあった。息のつまりそうな一階とはちがって、二階の廊下からの、眺望は心を浮き立たせた。昼間もよかったが、日が暮れて家々の電灯がともると、いちめんが幻燈の世界だった。古川の谷間をへだてて二キロほど離れた芝白金の丘のうえの、私と妹が通っていたミッションスクールの修道院の明かりが、まるで遠い異国からの信号のように、ちらちらと欅のあいだに見えかくれしたし、学校のある丘と私たちの家のある丘のあいだの、くぼんだ谷間の町には、サワノツルの赤いネオンが点滅して、興奮した小さい弟をいつまでも眠らせなかった。

隣家の住民を私が意識するようになったのは、東京に来て何年目ぐらいのころだったのか。秋が深くなったある日、その家の主人らしい小柄な和服姿の老人が、手入れの行きとどいた庭にひとりぽつんと立って空を見上げているのが、二階の窓から、私の目にとまった。

小柄でどこか気むずかしそうなその老人が原石鼎《セキテイ》という、かなり名の知れた俳人だと教えてくれたのは、父だった。

「隣の主人は、ホトトギス派で名のとおった俳人らしいぞ」

ある日、夕食のときに、父がいった。父が近所の人のうわさをするのは、めずらしかった。

「おまえたち、見たことあるか」

私も妹も、首をふった。

「いいえ」

人づきあいの苦手な母は、隣人がだれだろうと、いっこう興味がなさそうだった。

「気むずかしそうなおじいさんだって、ねえやがいってました」

食卓のうわさは、それだけで終わったのだろうか。石鼎は当時すでに病身だったはずだが、それに類するような話をその晩、父の口から聞いたような気がする。

隣人が名の知れた俳人だと父に教えられても、当時の私や妹には、それがどういうことを意味するのか、俳人とはどういう人たちなのか、皆目わからなかったから、そのことに対する感想も皆無といってよかった。

原石鼎は、明治十九年（一八八六）に島根県に生まれている。明治十九年というと、谷崎潤一郎と同年だ。お父さんが医師だったことから医学の道を志したらしいのだが、試験に失敗して、医者になるのをあきらめ、上京して虚子の門に入った。医師志望からいきなり俳人というのはずいぶん極端に聞こえるが、他の職についてうまくいかなかったり、俳句に専念したかったりをくりかえしたあと、とにかくそうなったらしい。小島信夫によると、石鼎にとっての虚子は気まぐれで厳しい先生だったようで、師弟のあいだにはしばしば波風が立ったいっぽう、当時の「ホトトギス」にとって、石鼎は将来を嘱望される、いわば気鋭の新人だったらしい。

やがて石鼎は、ゆるくて長いくだり坂のような晩年をたどる。五十を過ぎるころから死ぬまで、彼は、若いころに感染した梅毒と神経衰弱になやまされたあげく、病院生活をなんどもくりかえしている。そして、昭和十六年には、神奈川県二宮に隠棲し、戦後、二十六年(一九五一)に他界している。私が新制大学を卒業した年だ。

『原石鼎』という本を書店で見かけたのは、ごく最近のことだった。手にとってしばらく考えたが、買うことにした。著者は小島信夫。おそらくは俳句に親しむ人に向けて書かれたものなのだろう、年代が曖昧だったり、石鼎についてだけでなく、俳人が生きた時代について予備知識のない読者にはわかりにくい箇所があちこちにある。それでも、本を見つけたとき想像したとおり、ページを繰るうちに、こんな文章に出会った。

「本村町一帯は高台でしかもこの家は南に崖を控え、二十メートル近くの傾斜の植込をつたって下の家の屋根を見下ろす高所にあるが、この植込があたかもこの家の庭つづきのように見える。北から南に扇のように拡がった得な地割りで、谷底のような渋谷川に沿う下町を隔てて遥かに彼方の高台にそびえる聖心女学院の塔が美しくうつる」

これは石鼎の家からの眺めだが、眺望は、むかし私たちが麻布の家から見ていたのと、ほぼおなじだ。ただし、隣家の崖下には、あの視界をさえぎるうっとうしい椎の列はなかったらしい。著者によると、「この植込があたかもこの家の庭つづきのように見える」というのだから。

いずれにせよ、その景色を毎日、二階から見て暮らした私たち——両親も弟もいなくなった現在、それは妹と私だけになってしまったのだけれど——にとって、ある時代の大切な記憶の断片につながるものにはちがいないのだから、ひとりで愉しむのがもったいなくて、私は妹に電話をかけた。ちょっと本を読むから聞いて、というと、受話器ごしに妹が警戒したのがわかった。小さいとき、よくベッド越しに読んで聞かせられたころを思い出したにちがいない。私は、まず、眺望のくだりを読みあげた。

「なによ、その本」案の定、妹はびっくりしてたずねた。「なんの本に出てるの」

彼女の質問には答えないで、私は紙きれをはさんで印をつけておいた、もうひとつの箇所を読んだ。

「龍土町から材木町を抜けて有栖川公園の角を曲り、鷹司家の前を通り抜けると直ぐに左に折れてゆきどまりの前でくるまが停った」

「わあ、なつかしい。なんの本よ」妹はもういちど、おなじことをたずねた。「勿体ぶらないで、おしえてよ、いったい、どういう本なのよ」

「原さんて憶えてる？　おとなりの」私が訊くと、妹は遠い記憶をたぐるように、うーんといった。

「うん、あの麻布の家のとなりで、いつも庭に立って、空を見てた、じじむさいおじいさんでしょう」

「そうよ。あの人のことを書いた本なのよ」

妹はたたみかけてきた。

「どうして、あの人のことが本に書いてあるのよ、なんの本?」

「あの人、俳人だったのよ、ホトトギスの」

「俳人ねえ」妹はもうひとつ納得できない様子だった。「そういえば、聞いたことあるような気がするわ。うるさくてこわいおじいさんだったのは、憶えてる」

建て増したせいで、敷地いっぱいを厚ぼったく占めた二階家の私たちの家にくらべて、隣家は、東南にむかってカギ型にひらいた瀟洒な平屋だった。小島信夫によると、石鼎は、この家を「並大抵ではない八千七百円という金額で」買い取ったとある。千円ぐらいでかなり立派な住宅が建つ時代だったから、この値段は異常に思える。間口から私が推測したところでは、三百平米あるかないかの土地でしかないのだから。

その家の、どこか芝居の花道を思わせる、しゃれたつくりの縁側は、秋のお月見が似合いそうで、手水鉢のわきには刈萱が繁り、季節には秋海棠が、ぽっと頬をあからめた女の子を思わせる花をつけるといった、風情のある庭だった。私をふくめて三人の小さい子、そして友人たちを連れた大学生の叔父たちがほとんどひっきりなしに出入りし、ときには短気な父のどなり声のする私たちの家のとなりの原邸はいつもひっそりとしていて、近所の子供たちと遊ぶときも、小粋な格子戸のついたその家のまえを通るときだけは、ちょっと声をひそめるのだった。

年譜を繰ってみると、私たちの家族が上京して本村町に住むようになったのが一九三八年で、石鼎が夫人と共に龍土町からその家に越してきたのは、その一年か二年まえだった様子。私たちが見ていたのは、五十をいくつか越した石鼎だったはずだ。あのころうちにいた若いねえやたちにも、三十代の半ばだった母にも、たぶん、老人とうつったろう。子供がいないこと、そして俳人という、あまりぴんとこない職業のせいもあって、その家には遠巻きにするに越したことはない、といった雰囲気があった。私自身に関していえば、いっぽうには《なにをしているのかよくわからない》職業への、そして「ふつう」から離れた人たちに対する、畏怖があり、もういっぽうには、ある種の憐れみのような感情をいだいていたように思う。それというのも意味はわからないままでも、心のどこかに石鼎の病気についての、ひそやかな情報が組みこまれていたからではないか。

もし、俳人あるいは歌人を、詩人という言葉から隔離する習慣が日本になくて、この詩形ないし作品をより普遍的、本質的な批評言語の対象とする習慣がもっとはやくこの国に確立されていたら、石鼎の名は、ずっと早く、私の視界にはいっていたはずと思う。発句を連詩の手法から切り離してしまった子規や彼の弟子たちは、孤児化したこの詩形が、やがて「職業」詩人たちの手に落ち、子規自身が見下した江戸末期の俳諧師とおなじように、詩と権威を結びつけることになるのを想像しただろうか。

石鼎がつまらない詩人だったというのではない。『花影』と題された句集には、詩人の孤独を自然に托して表現した、いい句がいくつかある。虚子の弟子らしい、絵画性を重んじた新鮮な作風が、読者を存在の深みにさそう。

山の色釣り上げし鮎に動くかな

高々と蝶こゆる谷の深さかな

梟淋し人の如くに瞑るとき

非日常の言語としての詩が、私の意識にのぼるようになったのは、小学校五、六年生のころだった。夏休みに父の蔵書にあった薄田泣菫《きゆうきん》や土井晩翠、北原白秋などを読んだのが、きっかけだったように思う。ひとつには、小説を読む、とくに私の家では、女の子が小説を読みふけることに、目に見えない抑制のようなものがおとなの側から働いて、しぜん、おおっぴらに読める詩のほうに私は傾いて行った。すでにダダも未来派も試みられていた一九三〇年代に、上田敏や晩翠を読んでいた私は、ずいぶん時代おくれだったにはちがいない。でも、異次元の言語で紡がれる透徹した世界を、詩のなかに認識できたことは、私にとって、おおげさにいえば、やはり人生の曲り角のひとつだったにはちがいない。だれも他人が入ってくることのできない、自分だけに確保された場所がみつかったのだから。学校がいやで、友人たちが信頼できなかったから、この発見は、ふと見上げた空に飛行機雲を見たときのように、おおきく気持をひろげてくれた。

自分は将来なにをしたいか。漠然とそんなことを考えるようになったのと、それは、ちょうどおなじ時期にあたる。ふたりの友人と話しあって、自分たちがやがてえらびとりたい仕事の分野を、《作品》のかたちにして交換しようと約束したのは六年生の秋で、私は、泣菫調の感傷的な詩を書いて彼女たちに贈った。残りのふたりのうち、ひとりからは、和紙でつくったノートに筆で書いた自作の短歌を、もうひとりからは、子供のときの写真にそえた散文集をもらった。

世界戦争になって、痛いほど詩が欲しくなる日々と、詩などなくても生きられそうに思う日々が交互にあった。そして、すべてが終って、本が自由に読めるようになったのは、もう自分に詩を書くというような日が来るのをすっかりあきらめたあとだった。戦争が小さいときからずっと自分たちの周囲にあったので、いつのころからか、将来の計画を真剣にたてないのがくせになったまま、私は十六歳になっていた。

怪しい鬼たちの行列のように、宮澤賢治、中原中也、そして立原道造の詩が私のまえを横切って行った。そのひとりひとりに、方法論をもたないまま、私は、どっぷりとはまりこんでは、道草をくった。茶の間の電気時計をにらみながら、家で私の帰りを待っている母がいない分だけ、道草の時間は長かった。

そのころの自分に、案内役といえる人物がいたとすれば、それは、専門学校時代から大学を通して、勉強ぎらいの私たちに手こずりながら、どうにかしてアメリカ文学の醍醐味をつたえようと苦心していたK先生だったろう。じっさいは文学作品のテキストを、一語ずつ日本語に訳して、翻訳の技術を習得するはずの授業なのに、K先生は、専門のアメリカ文学とはなんの関係もない、賢治や道造の詩集を家からもってきて、私たちに一篇ずつ、読んでくれた。もう小学生のときのように、詩人になりたいなど、とてもはずかしくて他人にはいえない年頃になっていたのが半分、それでいて、自分は詩が好きだと悩ましい顔をして大っぴらに触れまわる友人はなにやらうとましいのが半分で、だれにも本心を打ち明けられずに、宙ぶらりんだった私にとって、週一回のK先生の授業は待ち遠しかった。

いわば同時代の日本の詩人たちとおなじほど大切に思えたのが、永井荷風や堀口大学の訳詩集だった。やがて、それらに英語の詩が加わり、つぎにフランス語の詩が、そして、ずっとあとには、中世から現代にいたるイタリア詩が私を捉えることになる。

むかしのように詩を読まなくなって、詩を書きたいと、喉が渇くほど思わなくなって何年も過ぎたある朝、ある新聞のコラムが目にふれて、時間がいっきに逆流した。発句が引用されていて、作者の名は原石鼎だった。

お宅のお子さんたちの声が喧しくて、宅がなにかと申しますものですから。小柄な夫人があるとき、そういってうちに来られたと、ずっとあとになって母から聞いた。だれが応対に出たのだったか。伝記によると、詩人の神経症が急激に悪化しはじめたのは、私たちがあの家に越していったすこしまえのことだったらしい。詩人はまた、若いときにできたひとり子を病気で亡くしている。私たちの声が彼の神経にさわったのではなかったか。

だが、現在の私がなによりも口惜しく思うのは、隣が詩人の家だったというのに、あまりにも幼くて、それについてひとつの深い想いも持たず、心を潜ませることもなかったことだ。いまもかぎりなく尾をひいて、そのころの自分が、はずかしい。

夕月に七月の蝶のぼりけり

新聞にあったその句は、昭和二十五年、石鼎の死の前年の作で、私が渋谷の寄宿舎にいたころだから、時間的には合致しないが、それを読んで、いつも空を仰いでいた小柄な老人の孤独な姿が記憶に戻った。二階の窓からそれを見ている少女だった自分の姿が老人のそれに重なり、ひらひらと夕月の空にのぼっていきそうだった。

シエナの坂道

なにも大学まで行くことはないだろうと進学に反対する両親にあらゆる約束をし、自分自身にもくりかえし誓ったあげく、設立されたばかりの新制大学に行くことをゆるされたその年の五月は、ゆたかな緑にかこまれた渋谷のキャンパスの樹々の下草までがきらきらとかがやいて見えた。そのはじめての授業で、たぶん西洋史の授業だったのだろう、単位を取る条件として、小論文といっしょに、ブック・レポートというのを、ひと月に一本出すようにいわれた。戦後、来日したばかりのアメリカ人教授の担当していたクラスで、最初の授業時間にタイプライター用紙二枚にぎっしり打った参考文献のリストがくばられてまずびっくりした。そこには小説あり、詩集あり、歴史書ありで、その範囲のひろさがまずうれしかったが、どれも英語の原書ばかりだったし、レポートも英語で書くようにいわれて、私たちは顔を見あわせた。

はじめてのブック・レポートに選んだのが『シエナの聖女カテリーナ』という、十四世紀のイタリアに生きた女性の伝記で、著者はデンマークの作家ヨルゲンセン、大学の図書館にあったのは、アメリカで出たばかりの英語版のハードカヴァーだった。五百ページもあったろうか、当時の私の読解力では、ただ読破するだけでも大変な大冊なのである。でも大学に入れたというので、私は牡牛みたいにはりきっていた。よおし、読んでやろうじゃないか。

大きな重い本だったけれど、それは専門的な研究書というのからは程遠く、どちらかというと小説ふうに、カテリーナの少女時代から、ほとんど独学のようにして当時の女性としてはめずらしい哲学や神学の知識を身につけたこと、さらに自分の神秘体験をもとに、すぐれたイタリア語で本を書いたこと、晩年（とはいっても、たった三十三歳で死んだのだけれど）には「教皇のバビロン捕囚」と呼ばれるカトリック教会を分裂にみちびいたかもしれない歴史的な事態にけりをつけさせようと、アヴィニョンの教皇にくりかえし書簡を送ったことなどが、「英雄伝」らしい語りで述べられていた。すでにこの本を選んだとき、私は字づらの平易さに惹かれていたのかもしれない。授業の合間を縫ってのことだから、五百ページの本を二週間やそこらで読みあげるのは、たいへんな作業だったのだ。それでも、いや、たぶんその平易さのおかげで私はその本を読み終わり、カテリーナにのめりこんだ。

ルネッサンスの夜明けの時代ともいえる十四世紀の半ば、シエナの染物職人の娘に生まれたカテリーナ・ベニンカーサは（中世の聖女伝の常套にしたがって、オルレアンの処女ジャンヌ・ダルクとおなじように）、幼いとき、自分は神に呼ばれている、という確信を得て、神だけにみちびかれて生きることを選んだ。すくなくとも、そんなふうに本には書いてあった。ヨルゲンセンによると、両親はこれを心配し、一日もはやくいい相手をみつけて結婚させようとするが、ごうじょっぱりなカテリーナは、意志の堅いことをわからせようとして、長かった髪をばっさり切りおとし、自分の部屋にたてこもった。

「神に呼ばれる」とか「神だけにみちびかれて生きる」というような表現は、キリスト教の伝統のなかではごく日常的に用いられるもので、私がカテリーナの伝記を読んだころ、カトリック教会では一方的に「修道女として生きる」という意味に解釈されていた。でも、カテリーナは修道院には入らない。髪を切りはしたけれど、彼女は、学問をおさめ、政治にまで関与した。「神だけにみちびかれて生きる」というのは、もしかしたら、自分がそのために生まれてきたと思える生き方を、他をかえりみないで、徹底的に追求するということではないか。私は、カテリーナのように激しく生きたかった。

ここでひとつ、いまの私にとってほとんど不可解に思えることがある。それは、カテリーナにあれほど惹かれていたのに、その彼女がイタリア人であり、フィレンツェから遠くないシエナに生きたという「現実」には、さほど興味をおぼえなかった事実だ。四〇年代の日本のティーンエイジャーにとって、フランスもイタリアも、まだ本のなかの世界でしかなく、そんな場所に自分が行けるようになる日が来るかもしれないなど、想像もつかなかったのだろうか。それで、カテリーナの生きた町も、その時代も、私にとって究極的には透明な夢、遠いところに揺らぐ陽炎にすぎなかったのか。

イタリア中部のウンブリアやトスカーナ地方にはよく見られる、丘の頂上に群がり咲いたような中世の町シエナに私がはじめて行ったのは、まだパリ大学で勉強していた一九五四年の夏で、イタリア語を習うために行ったペルージャの外国人大学の夏期講座で知りあった友人のフランコが連れていってくれた。〈パリオ〉の祭りの日に、シエナに行こう、そうさそわれても、まだ片言しかわからないイタリア語では、その祭りがどんなものなのかさえ見当がつかなかった。八月の十六日が〈パリオ〉の日で、早く行かないと車を停める場所がなくなるというので、昼夜の寒暖の差がはげしいウンブリアの夏の朝の、まだセーターが欲しいような時間にペルージャを出た。フランコが友人からその日のために借りたフィアット五〇〇を駆るシエナへの道は、八月の太陽に照らされて金色にかがやく野や畑のなかの、はてしない登り降りで、たえず変化する景色は目を奪った。

〈パリオ〉というのは、イタリア各地に古くから伝わる、競馬に似た競技に町中がうつつをぬかす祭りで、〈パリオ〉という言葉そのものは、競技の勝者に授けられる大きな旗をさす。なかでもシエナの〈パリオ〉祭は有名で、市の十七の区域が一年かかって準備し、どの区域にかがやかしい勝利の旗が渡されたかは、イタリア全国の日刊紙上で報道されるほどの行事だ。競馬そのものは、カンポと呼ばれる町の中心の広場で十七頭の馬がきそって、あっという間に済んでしまうのだが、そのまえに、中世以来の派手な衣装をまとった若者たちが、これも色とりどりの、両手で支えるのがやっとぐらいの大きな旗を、ドラムのリズムにあわせて、頭上たかく、投げあげてはうけとめ、また風になびかせて、朝から街を練り歩く。ふだんはしずかなシエナ市民が、この日だけは、今年こそは勝利をわが町にと湧きに湧くし、休暇の季節でもあるから、ヨーロッパ中からあつまった観光客が、町をうずめる。ペルージャでは、いばって私をあちこちに案内してくれたフランコが、シエナの人混みにはいると、おのぼりさんみたいにおどおどしたのにおどろき、最後の競技がおこなわれるカンポ広場には、座席の予約がないとはいれないと聞いてがっかりはしたけれど、あちこちの街角で出会う旗をかざした若者の群れがめずらしくて、色の洪水に流されたような一日の時間はあっというまに過ぎた。そろそろ帰ろうよ、とうながすフランコに私はいつか読んだシエナの聖女カテリーナの本の話をして、たのんだ。帰るまえに、どこかあの人のゆかりの場所に行ってみたいの。え？ と栗色の髪の青年は私の顔を見た。聖女カテリーナのなにを？ じょうだんじゃないよ。びっくりしたままの顔で彼がいった。こんな混雑の日に。きみも、ぼくも押しつぶされちゃうぞ。遠くからでもいいから。私はせがんだ。せめて、彼女の名がついた道とか、そういうところに行って見たいわ。

暗い谷底に降りるような細い坂道のてっぺんに私は立っていた。高い建物が両側から迫るように並んでいて、家々の窓から道に張り出した洗濯物が風にはためいている。私は、建物の壁に貼った大理石の標識に目をやりながら、考えている。聖女カテリーナ通り。この道を降りて行けば、カテリーナが生まれた家がある。そのなかには、彼女が、神だけにみちびかれるのを望んで、たてこもった小部屋があるはずだ。そう思うといてもたってもいられないのに、フランコは待ってくれない。フランコ、とうしろから名を呼んでいるのに、彼は私にはかまわないで、城壁のそとの駐車場に向かって、すたすた歩いてゆく。その日、ペルージャに帰ってからも、夏が終ってパリで大学の授業がはじまってからも、私は、あの日見た暗い谷底のような道が忘れられなかった。パリオだなんて、フランコなんかとお祭りさわぎでシエナに行ったのがいけなかったんだ。あんなに近くまで行ったのに、カテリーナの家を訪ねることもできなかったなんて。

そのつぎ私がシエナに行くまでに、十五年近い月日がすぎた。あのときは考えもしなかったのに私はイタリアで長年暮らすことになり、また思いがけない悲しい出来事をさかいに日本に帰ったのだった。でも、すこしずつ生活に余裕ができると私のなかには、もういちど、あたらしい目でイタリアの町々を訪れたい気持が湧いた。なかでも、かつて暮らしていたミラノでは、手のとどかない遠さにみえたトスカーナをもっと知りたくて、仕事のあいまを縫っては、フィレンツェをはじめ、奇妙なあかるさのあるこの地方の町をつぎつぎに訪れた。なかでもシエナは好きな町で、機会あるごとに、私はこの丘の町に帰っていった。なかには、白と黒の大理石をはでな横縞に使った、北方のゴシック様式とは似ても似つかない大聖堂が、深い霧につつまれていて、坂道をのぼるあいだも、視界から見え隠れした冬の日もあった。せっかくここまで来たのに、と私を案内してくれた女ともだちは、くやしがった。夏、フィレンツェ生まれの友人といっしょに、アメリカから来た友人夫妻を、こちらが案内役にまわってシエナをおとずれたこともあった。

城壁の下で車をとめる。そこからはカタツムリの殻のかたちに丘をとりまく上り坂を、すこし息をはずませて、城門まで登る。そこからはもう、道をたずねるまでもなく、まっすぐにシエナの人たちがカンポと呼ぶ、あの美しいパリオの広場まで一気にかけ降りる。それほど、私はこの町に馴れ親しむようになった。そのまま、ゆるやかなホタテ貝のかたちのカンポ広場に出て、これをよこぎると、まっすぐに、シエナ派の巨匠、シモーネ・マルティーニのフレスコ画を見にパラッツォ・プッブリコに行く。それも聖人たちにかこまれた聖母マリアとおさな子イエスを描いた絢爛豪華な「マエスタ」を求めてではなくて、あの底びかりのする青一色の空を背景に、ひとり戦場におもむくフォリアーノのグイド・リッチョのさびしくてかがやかしい乗馬姿に会いたいからだ。空の青の大きさと、描かれたグイドの孤独が、私をつきうごかす。

ある年の八月、例によって古くからの友人をかたらって、彼の車でまたシエナに行った。まず広場に降りたあと、馬上のグイドを見て安心すると、彼と私は別々に、来るまえからあたまにあった、それぞれの目標をめざすことになった。ふたりで両方を見に行く時間がなかったのか、私がどうしても行きたいといった場所が、彼には興味がなかったのか。いや、ほんとうのことを書いてしまおう。私はその日、大学生のころに私をあれほど魅了した、そして、はじめてペルージャからこの町に来たとき見つけそこなった、聖女カテリーナの生家をたずねたかったのだ。神だけにみちびかれて生きたいとねがった、カテリーナの生家を。いまそこは、たえず巡礼たちがおとずれる、小さな聖堂になっているはずだった。そこに行くには、どうしてもひとりでありたかった。行って、またたくまに過ぎて行った自分のいのちの時間を、カテリーナのきらめく生涯に合わせ考えてみたかった。

三十分したら、ここで会いましょう。私たちはそういって場所を決め、それぞれの方向に歩きはじめた。私のなかには、フランコとここに来た日、立ちつくしたあの細くて急な坂道のイメージが点滅していた。あれを降りて行けばいい。でも、それらしい道が見あたらない。だれかにたずねようにも、昼下がりで町を歩いているのは、観光客ばかりだった。こんなことなら友人と別れなければよかったと後悔しはじめたとき、観光客用の表示が目に触れた。それによると、なんと私の立っていたところから数歩の距離に、小聖堂の入口があるはずなのだった。しかし、いったいどういうことだったのか。四十年のあいだ、私の脳裡に浮かんでは消えたあの暗い、けわしい坂道は、どこにも見あたらなくて、ぎらぎらした真夏の太陽が、聖堂のまえのだらだら坂を、両脇にならんだ家々の屋根を、白茶けた壁を照らしているだけだった。腑抜けのようになって、私はぼんやりしていた。それでは、あのけわしい坂道はいったいなんだったのか。疲れてペルージャに帰ったあの夜、私の見た夢にすぎなかったのか。

驟雨のような祈りの声が聞こえてくるカテリーナの小聖堂にはついに入らないで、私は太陽の照りつけるだらだら坂に戻った。なにも考えることはなかった。泣いたり笑ったり、歩いたり、船に乗ったり、昼寝をしたりした四十年という時間は、それなりに満ち足りたものだった。そのとき、髪をみじかく切った少女が、こわばった表情で坂道をこちらに向いて歩いてきた。

その子の固い表情を見ていて、ふと、私は大学生でカテリーナの伝記を読んでいたころの、「そのために自分が生まれてきたと思える生き方を、他をかえりみないで、徹底的に探究する」のに、へとへとになっていた自分を思い出した。ぎこちない足どりで歩いていく少女を見送りながら、私はあの本をもういちど読んでみたいような気がした。

小さなファデット

私たちが幼年時代をすごした家は、六甲の山すそがもうすこしで海にとどくという、起伏の多い土地にあった。藤棚につづく茶の間にすわって、細い小川が流れる低地をへだてた向こうの山を見ると、太陽に白くきらめく花崗岩の地肌に、アカマツやクロマツに下生えの灌木などそれぞれの微妙にちがった緑が映えて、都会からたずねてくる客はみなすばらしい眺めですね、とうらやましがった。

山と私たちは呼んでいたけれども、それは六甲山脈につづく低い丘陵の一角にすぎなくて、山肌をびっしりおおっていた山ツツジの群落を、私たちはごくあたりまえのもののように、毎日、眺めていた。春、線路に沿った道の葉桜の緑がようやく出そろうころには、山がうすむらさきにぼうっと明るんだ。

山ツツジは園芸種のサツキなどとはちがって、茎がまず裸の針金細工みたいにすっと茶色に伸び、そのてっぺんに、ロウソクの炎のかたちをした小さな蕾が固くかたまってついた。最初はしっかりと苞に被われている蕾が、日ごとに花の色を帯びるかと思うと、ある日、きょうからはお祭り、とでもいうように鮮やかな淡い桃色から濃いぼたん色にかけての、紙細工のような花を咲かせるのだが、それまでは茎が寒そうな裸のままなぶんだけ、花の華やぎがうそみたいだった。

こう描写することはできても、茶の間からこの花の群落を眺めた記憶はほとんどない。四季をつうじて、お天気さえよければ、私は、学校から帰るとそのまま玄関の上がり口にランドセルをほうりだし、あぶないから、ひとりで行ってはいけないと常々いわれているのに、ときには日の暮れるまで、山で遊んでいることが多かったからだ。花の季節には、二メートル近い高さにもなる山ツツジの、子供の背丈には林にみえた茂みに手や足のあちこちを、イバラやサンキライの棘に刺されながらもぐりこむと、世界がいちどきに明るくなって、顔も手足もツツジ色に染まりそうだった。上をむくと、薄紙でつくったような花のあいだから、淡い春の空が見えたり、マツの新芽が赤く太陽にかがやいていたりして、空気がむせるように匂った。

このあたりで咲くツツジのほとんどは、濃淡のちがいはあっても、ボタン色系だったから、たまに色違いの花を見つけると、それが少々危ないところであっても、できるだけそばまで行かずにはいられなかった。たとえ摘みとらないまでも、花の様子をしっかりと確かめておきたかった。色違いのツツジは、山ツツジとは種類を別にするのだろう、ほとんどどれも丈の低いものばかりで、花も、白、といってもいいような淡いピンクだったりした。また、どこか草色がかった白の花を咲かせる種類は、葉がみずみずしい薄いみどりで、さわるとちくちくする短い毛におおわれていた。ちゃんと葉が出てから、それに抱かれるようにして花が咲くのも、この種の花は山ツツジとはちがっていて、これを見つけた日は、めずらしい獲物を射とめた狩人みたいに家に帰って自慢した。

　でも、ほんとうをいうと、白いツツジよりももっと貴く思えた種類がひとつあった。それは、遠くからもはっきりとその色がきわだちながら、そのわりには単純ともいえる緋色の花を咲かせる、ツツジだった。ちょっと油断すると足もとでぽろぽろ崩れ落ちる花崗岩の岩山を、安全かどうかをたえず爪先でたしかめながら、手をついてよじのぼったり、岩の裂け目をぴょんと飛び移ったり、あるときは失敗してずるずる滑り落ちたりしながら、その花だけをせっせと探す日もあった。めったに見つからないこの種のツツジは、蕾のかたちが絵本などでよく見る図案化された桃の実に似ていたから、私はこれを勝手にモモタロウと名づけていた。

せめて一日に一輪、モモタロウに出会うまでは家に帰りたくない。祈るようにそう思ってあちこち捜すこともあった。といって、それを見つけたところで、どうしようというのでもない。ひたすら、出会いたい、それだけで私は歩きまわった。群れて咲くぼたん色やピンクのツツジとちがって、岩や白い花崗岩の岩肌にしがみつくように、ぽつんと一点、緋色に咲いているのを遠くに見つけてそばまで行きつくと、どういうつもりだったのか、自分も地面にからだを横たえ、花に頰をふれるようにして眺めることがあった。じっとそうしていると、土の固さや暖かみが、赤い花のあかるさといっしょにからだにつたわった。

九歳で家が東京に移ったとき、なによりも私を落胆させたことのひとつは、こうして自然にかこまれてすごす、ひとりの時間を喪ったことだった。東京には、松林もない、ツツジも咲かない、と私は〈智恵子〉気分でふてくされた。朝夕、太陽に映える山のつらなりが見えないのも、さびしかった。そのうえ、転校先の学校にもなじめなかったから、私は、二重にともだちをなくした気持だった。

このころから、私と本とのつながりが、それまでの「愉しい、ただのともだち」という単純な関係から、「いっときも離れられない恋人」の関係になったのではなかったか。私は、勉強をせっせと怠けて本を読み、その本の内容をまた、せっせと現実に運びこんでは、ひたすらぼんやりと暮らすようになった。

ファデットという、優しいひびきをもつ名の少女が主人公の、『愛の妖精』という本に私がめぐりあったのは、たぶん、十七の夏休みだった。戦争がおわって、空襲がなくなり、私はもういちど学校に戻れたよろこびを噛みしめていた。語学の勉強には追われたが、休暇さえはじまれば、だれにも、なにもいわれないで、のうのうと本が読める暮しは、理想的だった。

ひとりの友人、ながい学校生活を通じて、だれよりもよく本について話しあった、早熟で明晰で、自分でもなにやら文章を書いていたひとりの友人が、ある日、フランスの女のひとが書いた小説を読んだ、あなたがいかにも好きそうよ、といって、一冊の文庫本を貸してくれた。ファデットっていう、植物やお天気のことなんか、自然の秘密がいろいろとわかってしまうふしぎな女の子の話なのよ。彼女はそうもいった。田園の描写がすばらしいから、あなたはきっと夢中になるよ。それだけで私は、むしょうに読みたくなって、さっそくその本を借りた。そして、友人がいったとおり、私はたちまちとりこになった。

〈フランスの女のひと〉と友人がいった著者は、ミュッセやメリメや、なかでもショパンとの恋で知られるジョルジュ・サンドのことで、本の名は、彼女の代表作とされる『愛の妖精』(原題は、『小さなファデット』)。

村人たちが、軽蔑をこめてファデットと綽名で呼んでいる主人公の少女は、十六にもなるのにいっこう女らしくならない、というのが、まず私の気にいった。両親のない彼女は、足の不自由な弟とお祖母さんといっしょに、村はずれの一軒家に住んでいる。そして、このおばあさんが、また、なかなかの〈人物〉だ。「魔法」を使って、病気をなおしたり、行方不明になった人間を探しあてたりするから、村人たちは彼女に一目おいている。とはいっても、人づきあいがわるいし、土地はない、そのうえ、いったんきげんをそこねたらどんなわるさをするかわからないから、恐れられ、軽蔑もされている。そんなおばあさんに育てられたファデットのことを、ジョルジュ・サンドはこんなふうに書いている。

「……この娘がまた、ちっぽけで、やせっぽちで、髪の毛を振り乱して、そのくせ人を人とも思わないようなところがあったからだった。とてもおしゃべりで憎まれ口をよくいう娘だったが、蝶々のようにお転婆で、駒鳥のようにせんさく好きで、こおろぎのように色が黒かった」

男の服装をして、人々をおどろかせたというジョルジュ・サンド自身の少女時代がモデルだという、こんなファデットの描写を読んで、私はすっかりうれしくなった。ちっぽけでやせっぽちなのも、おてんばなのも、好奇心にみちているのも、おしゃべりで、色が黒くて、服装に無頓着なのも、すなわち、すべてが、すんなりとおとなになれなくてもがいていた、そのころの私にそっくりな気がしたのだ。

それよりも、もっと私が惹かれたのは、見かけは仕方のないおてんば娘なのに、ほんとうは「ものの底まで見通す頭脳」にめぐまれている、という作者の設定だった。かしこいファデット、霧のたちこめた河原で、やさしい声で歌っているファデット、強がりのくせに、無類の淋しがりやで、月の夜、石切場でひとりすすり泣いているファデット。でも私は、こんな物語を書けるジョルジュ・サンドのようになりたい、とは考えないで、私はひたすらファデットになりたかった。

たしかに、彼女はかしこかった。まずしさゆえの苦労と孤独、そして足のわるい弟への愛情が、彼女に、しっかりとものごとの本質を見きわめる能力を与えたのではなかったか。それでも、彼女は、ずいぶんながいこと、ひねくれ者だった。そんな彼女に、裕福な農家に育った、健康で、すなおな青年が惹かれるようになる。つきあってほしいとたのむ青年ランドリーに、彼女はこんなふうにいって反抗する。

「あんたたちは、家の外ですわる時は立派な芝生がなきゃ承知できないのね。そりゃあ、あんたたちのとこなら、牧場にでも野菜畑にでも、いい場所やいい木かげがいくらでもさがせるわ。だけど、自分のものなんかなにもない人たちは、そんな贅沢なことは神様にお願いしないわ。そこいらの石を枕に、どこへでも寝るのよ。茨に刺されるような足はしてないし、どこででもじっとして、空や野原のきれいなものや形のいいものを眺めてるわ。いやな場所なんてものはないのよ、神様がお造り下さったものの、いいところや可愛いいところをよく知っていればね。あたしは、魔法使いじゃないけど、あんたが足で踏んづけるような、どんなつまらない草でも、それが何にきくかちゃんと知ってるわ。で、その効能がわかると、それをよく眺めてみるし、香いや形で見くびるようなこともしないわ」

さまざまな葛藤のすえ、ランドリーの愛をすなおに受け入れたときから、ファデットは、それまでの気むずかしい性格をきっぱりと捨てて、やさしい、愛らしい婚約者に変貌する。ながい農村の冬の夜、炉端で語りつがれた物語にふさわしく、ふたりの結婚でこの話はしめくくられる。

ジョルジュ・サンドの母親が、パリはセーヌの河畔で小鳥を売っていた男の娘だったという話を私が知ったのは、ごく最近になってのことだ。父親はポーランド国王の血をひいた貴族で、ノアンは父方の祖母の領地だった。せめぎあうふたつの血筋を受けたことへの意識が、ジョルジュ・サンドに、あのたしかな人間性への洞察力をあたえたのではなかったか。

葦のしげる河原の霧のなかで、鬼火がちらちら揺れている。失踪した兄さんをたずねて、つめたい霧に濡れてうずくまっているランドリー。霧のむこうには、ファデットのみすぼらしい家の窓から洩れるかすかな明かり。霧を通して彼が聴いた、澄みきったファデットの歌声。

遠くで赤くかがやいていたわが〈モモタロウ〉ツツジのように、ファデットの物語は、いつか自分もそこまで行くことができるかも知れない地点として、私をいざないつづけた。ランドリーとの婚約がきまって、うつくしい少女になったファデットのほがらかな笑い声が、耳の底で鳴りつづけた。

ファデットになりたい、ファデットになりたい。夏がすぎても、私は、この物語の主人公を、まるで思考をとめてしまう呪文みたいに、こころにくりかえしていた。

父の鷗外

このごろの若い人は本を読まないといって私たちは悲しんだり目を三角にしたりするけれど、よく考えてみると、いまもし亡くなった父が現れて、たとえば今月読んだ本について訊ねられるようなことがあったら、きっと彼はあきれ顔で溜息をついて言うだろう。情けないなあ。そんなものしか読んでないのか。お前の読む本はいつも枝葉みたいなものばかりだ。もっと大事な本を読め。

女の子だから、本を読ませてもなんにもならない。ながいこと、明治生まれの父はそんなふうに考えていたようだ。男なら自分のしたかったことをさせられるが、女ではどうしようもない。そんな父の態度は、しかし、私たちが成長するにつれて、すこしずつ変っていったようにも思う。

本好きだった総領の私には、ときによって愉しそうに本の話をするようになった。私も父の気に入られたい一心で、耳をかたむけた。小学校の六年ぐらいのときだったろうか、冬のある日、風邪で床についていた父に呼ばれた。二階の寝室に行くと、たった一日のことなのに、髭がのびて、私には大病人の顔にみえた父が言った。古川橋の本屋に行って、パパの読みたそうな本を、おまえがえらんで買ってこい。

とっさには信じられなくて、父の枕元にすわっていた母の顔を見ると、彼女は笑っていた。じゃあ、ほんとうなんだ。父に認められたうれしさに、天にも昇る心地のまま、私は家を飛び出すと、書店に走った。そして、一時間、目玉がどうかなってしまいそうに棚の本をにらんだあげく、一冊の随筆集を買って帰ったのを、父はよろこんでくれた。子供にしては、ずいぶんませた選択だな、といって。佐藤垢石という人が書いた、『たぬき汁』という随筆集だった。

父の母校でもあった大学で勉強するようになってまもないころのこと、私は、関西にいる母たちから別れて、ひとり東京の家にいた。ときどき上京してくる父に、私は、どこか母からあずかる気持で対していたのだったが、ある夜おそくなってから、私の寝ていた日本間に父が本をとりに入って来たことがある。父が大事にしていた鷗外全集と鏡花全集がその部屋の本棚にならんでいたからである。本棚のまえにしゃがみこむような恰好で、私にはかなり長く思えた時間、父は兵児帯をしめた、かたちのいい背中をこちらにむけて、ページを繰ったり、ちょっと読みふけったりしたあと、探していたものをようやく見つけたのだろう、何冊かをかかえて立ち上がり、廊下に出る障子を開けたところで、まだ机に向っていた私にいきなり声をかけた。

「おい、おまえ、鷗外は読んだか」

はい、と答えたか、どうにかして父を凌ごうとなにかにつけてつっぱっていた当時のことだから、まあね、ぐらいの生意気な返事をしたのかもしれない。私の返事なんかどうでもいいという、いつもの調子で、父はおおいかぶさるように言った。

「なにを読んだ」

たぶん、学校で読んだり人に聞いて読んだりした『舞姫』あたりの三部作とか、『雁』、『高瀬舟』、そして『山椒大夫』ぐらいを私はあげたのではなかったか。『即興詩人』の文章はいつか自分も翻訳を仕事にすることができればと思っていたから、繰り返し、嚙みしめていた。これだけ読みましたといえば、いくらなんでも及第だろうとたかをくくっていると、父は、そうか、とうなずいただけで、部屋を出ていこうとして、後ろ手に障子を閉めながら言った。

「鷗外は史伝を読まなかったら、なんにもならない。外国語を勉強しているのはわかるが、それならなおさらのことだ。『澀江抽斎《しぶえちゅうさい》』ぐらいは読んどけ」

父の蔵書では子供のときから漱石全集が夙川の家の私たち姉妹の寝ていた部屋の本箱にならんでいて、私はその中の一冊に『それから』と『門』が入っているのを、ながいこと『それから門』という小説があると信じこんでいて叔父たちに笑われたりしたくらいだったから、漱石には、なんとなく面識のあるような印象をもっていたが、鷗外が重々しい足取りで私の読書プログラムに割り込んできたのは、このときがはじめてだった。いくら本好きとはいっても、現代文学全集を片端から読むぐらいが関の山だったから、史伝を読めと父にいわれたときは、すぐにはそれが鷗外のどんな作品をさすのか、とっさには見当がつかなかったし、ひさしぶりに父に全面降伏した感じだったが、ほんとうに読んでいないのだから、なんとも仕方ない。しかも、そのあと『澀江抽斎』を全集で読んでみて、ますます父にあたまが上がらない気持だった。

だいいち、それまで私が小説と考えていたものとあまりにもかけ離れていて、こういうのがおもしろいといえるのかどうかが、まず見当がつかない。漢字ばかりの字面がざらざらと目のまえを流れていくだけで、どうすれば中に入り込めるのかもわからず、入口のない建物のまえに佇んでいるような心細さだった。五百《いお》という女性の骨太な描き方につよい感銘をうけたのは、二度目に読んだときだったように思う。こういう知的な女性は、それまでの日本の文学には出てこなかった。漱石のいわゆるインテリ女たちは、うわついていて私は好きになれなかったが、五百にはかなわない、と思った。そういう人物を、遊女ばかり出てくる江戸文学の時代にくみこんでくれた鷗外に、私は感謝する気持だった。

それからしばらくのあいだ、私にとっての『澀江抽斎』は、五百が宝石のように光っている作品としてだけ、あたまに残った。近年、アメリカで『澀江抽斎』から五百が出てくる部分だけを、サワリの抜粋のようなかたちで訳出されて私は不満だったが、なるほど、自分とおなじような読み方をした人がいるな、とも思った。五百は、あの煩雑な澀江家のしがらみのなかに組み入れられたとき、いっそうの光彩を放つのだ。

大学院の一年だけ終えて、フランスに、またつづいてイタリアに留学した私のところに父が送ってくれた最初の小包が岩波文庫の『即興詩人』だったことは、いつかも書いたことがあるが、その小包にすこし後れて、この小説に出てくる場所をひまを見つけて訪ねなさい、というような手紙が着いた。将来、翻訳がしたいのなら、『即興詩人』をお手本にしろ、と私にとってはいまさらのようなことも書いてあって、へきえきした私はまた生意気を発揮して、『即興詩人』は意訳、誤訳だらけだそうです、などと返事を書いたこともある。四年後に結婚してイタリア人の夫といっしょに帰国したとき、父がまっさきに話題にしたのは、『即興詩人』のローマの幼年時代に出てくる、ヴェネト通りの「骸骨寺」だったり、公現祭に主人公が詩を暗誦する、丘の上の教会「アラ・チエリ」についてだった。自分が外遊したときの記憶をたどりながら、ヴィア・ヴェネトは、坂になった街路樹のある広いきれいな通りだったろう、たくさんカフェがあった、などと言って、私たちをおどろかせ、父は得意がった。

いずれにせよ、鷗外が父の生涯を通して私の上にのしかかっていたのは事実で、父のナマの言いつけにはことごとに反抗しながら、ふしぎに鷗外については、ぜったいにかなわないと信じていたし、父の忠告は、日本文学の分野ではとくに師といえる人をもつことがなかった私にとって、ほとんど金科玉条だった。

その後、『即興詩人』はだんだんと私の興味の中心からはずれていったが、作品としての『澀江抽斎』をはじめとする一連の史伝は、あのときの父の捨てぜりふのような言葉といっしょに、私のなかでくすぼりつづけた。あんなふうに父が言ったからには、なにか根拠があるにちがいない。そうも考えたし、父だけでなくて、たとえば自分がこの人と思って尊敬した作家である石川淳や永井荷風が鷗外の偉大さを繰り返し語っているかぎり、その価値が理解できないのであれば、それは当方の無知無学ゆえに決まっていたから、あせった。ながいこと、解るような気がしたりまた解らなくなったりのあいだを私は往き来し、もちろん鷗外だけに没頭していたわけではないけれど、ときには鷗外にはまったく語りの才能が欠けていたのではないかと判断してこの面倒な作品群から逃げようとしたこともあるほど、私にとっては厄介な作者でありつづけた。

その後も、私のほうは森鷗外についたり離れたりで、時間が過ぎたが、父は鷗外の史伝から興味をつなげて、江戸の大名や旗本の素性や系譜、知行高などが記された武鑑というのを神田で漁っては買いあつめるようになった。一九六七年に夫が死んですぐあと、母が病気で危篤になり私がイタリアを離れて帰国していた時期に、父は毎晩、母のいない二階の座敷で、暗いスタンドをつけておそくまでそれらの武鑑に読みふけっていた。その年のはじめに父は胃癌の手術を受けていて、病名を知らされてはいなかったが、父親をおなじ病気で失っていた彼には、もしかすると自分もという気持はあったはずで、その父が溺れるように古文書を読んでいる姿には胸をつかれるものがあった。商人の家庭、それも一代で身代を築いた両親に育てられた父にとって、武士たちの世界は、自分たちの知らなかった虚構の秩序として、精神のよりどころにしようとしたのではなかったか。

江戸時代の文化にかかわっていた人たちの知的生活がどういうものであったか、その背後にはどういうかたちの交友があったか、というようなことを、それにふさわしい文体で練りあげた作品が鷗外の史伝だ、というふうに石川淳はたしか書いていて、それが私の読んだ史伝論でもっとも納得のいくものだったが、それでもまだ、なにかもっとありそうだという気がしきりにした。そのあたりのことにすこし光が射したのは、じかに史伝を読んでのことではなく、ごく最近、『阿部一族』を読んでいてだった。明治天皇の死に殉じた乃木大将の最期に感銘をうけて書いたという『興津弥五衛門の遺書』にはじまる、いわゆる歴史小説群を境に、鷗外が題材を西洋の思想あるいは事物にもとめることをしなくなり、日本の過去に置くようになったのは、彼が日本の現状に愛想をつかしたからだという論旨をよく目にするが、読んでいて、『阿部一族』の底流にある、西洋臭さのようなものに私はふと気づいたのである。『阿部一族』は殉死―切腹という武士たちの慣習が、西洋人をふくむ部外者が考えるように、ただ野蛮な風習なのではなくて、確固とした哲学や美学に支えられていたという一面を明らかにしている。しかし、最後にこの一族が苛酷な滅亡に追いつめられていく過程を、共同体の論理に従わざるを得なかった社会への批判と読むことは可能だけれど、それと同時に、ギリシア悲劇的な運命の桎梏としても読めるのではないかという考えが浮かんだとき、鷗外の晩年の作品への解読の扉がすこし開けたように思えた。人間の不条理ということが、ここでひとつの中心的な命題として克明にたどられていることは確実で、その捉え方は日本／東洋的というよりはより西洋的と思える。西洋的といえば、たとえば主君の犬をあずかっていた下男がその犬までを殉死させる場面などでは、文体の格を一段下げて大衆文学ふうにこしらえている点などからも、博覧強記の見本のような鷗外がギリシア以来の文章の格の高低をあてはめているように、私には読める。ようするに、鷗外は西洋の技法を骨格にすえて、日本的な題材をあつかい、それを、たとえば諸処に置かれた季節の推移への言及のように日本古来のレトリックで飾りながら、重く漢文に依存した文体を練りあげるという、比類ない統合を意識した作業がここには見られる。この方向から『抽斎』以下の史伝を読めば、きっと明かりが見えるのではないかと私は思いついた。

『澀江抽斎』について、私がまとまった意見のひとつも言えないうちに父は死んでしまったが、私は、近頃になって、やっと史伝への私なりの入口が見つかったような気になっている。

クレールという女

本棚を整理していて、むかし読んだ本のことを思い出した。もう一度、読んでみたい。なつかしいというよりも、四十年もまえにそれを読んだとき、大学院生だった私たち仲間がつよい衝撃を受け、夜を徹してそれについて話しあったあの本を、いま読んだらどんなふうか、それが知りたい気がした。そう考えつくと、いてもたってもいられなくて、家のなかをあちこち探したが、だれかに読んでもらいたくて貸したままになってしまったのだろう、見あたらないので、大学が夏休みに入ってまもない、ある雨もよいの午後、ひさしぶりに図書館に行ってみることにした。

広尾で地下鉄を降り、信号をいくつか渡って、「ホタル鑑賞会」という立て看板のある、池のそばの入口から有栖川公園にはいった。ケヤキの暗い木陰に、うすい、これ以上うすくなったら消えてしまいそうな空色のアジサイが、ひょろひょろとのびた茎の先に水滴のついた花をつけて揺れる小道を、足をすべらせないように気をつけながら上っていく。子供のときに覚えたものは概してそういうものだけれど、足のほうが、あたまよりよく知っている道だ。山グミの濃い緑の茂みから、数年まえ病気で死んだ弟が、半ズボンをはいた子供のときのかっこうのまま、けらけら笑いながら出て来そうな気がする。びっくりした？ と目じりをさげて。小さいころ、私たちはこの公園のすぐ近くに住んでいたので、ひまさえあれば、ここに来て遊んだ。

戦争が済んで、大学を終えたとき、私だけが家族を離れて、公園に近い崖のうえの家に戻った。父にたのんで、彼が仕事につかっていた建物の一部屋をもらい、そこから歩いて三十分ほどの距離にある私大の大学院に通っていた。おとながいない家の気易さから、私の部屋はまたたくまに仲間たちのたまり場になって、これからどう生きればいいのか、二度とあんな戦争に巻き込まれないようにするには、なにをすればいいのか、勉強はそっちのけで、ときには夜をとおして私たちは話しあった。岩波現代叢書というシリーズの何冊かが、仲間うちのベスト・セラーで、まわし読みにしては、本と生活をひとつに繋げようと躍起だった。

図書館のあかるい資料室でカードを繰ると、その本はすぐ見つかった。『人間のしるし』。著者はクロード・モルガン。石川湧訳。一九五二年発行。例の岩波シリーズの一冊で、白とダーク・ブルーの簡素だけれど瀟洒な表紙。たくさんの人が読んだのだろうか、ずいぶんくたびれて、ワラ半紙のようなページは黄色くなり、表紙も角もすりへって丸くなっている。これがあらすじだ。

一九四〇年六月にドイツ軍の捕虜になって一年とちょっと、オーストリアの収容所で服役しているジャン・ベルモンは、ある日、おなじ収容所で、彼の妻クレールの友人でもある独身の音楽家、ジャック・フォンタニエに出会って、狂喜する。きびしい収容所生活の合間をぬって会うたびにふたりはクレールのうわさをするが、ジャンは、ある日、ジャックが肌身はなさず持っていた結婚前のいきいきとしたクレールの写真を見て、はっとする。写真のなかの妻は、自分がつねづね護ってやらなければいけないと思っていた「やさしいクレール」とあまりにも違ったからだ。

ジャックの話から、彼が戦線からもクレールに手紙を出しつづけ、パリにいるクレールも彼に返事を書いているのを知って、ジャンは嫉妬する。それをジャックは、彼がクレールを彼女自身のためでなく、自分の所有物として愛しているにすぎないと、つめたく批判する。

一日もはやくパリに帰って、クレールといっしょに抵抗運動に参加したいというジャックは、脱走して捕らえられ、収容所で死ぬ。いっぽう、ジャンはまもなく釈放され、占領下のパリに帰ると、高校の教師の職につく。夫婦は、すくなくとも表面的には平穏な日々を送れるようになったのだ。だが、クレールが外出したある日、ジャンは彼女の日記を盗み読んでしまう。「あのこと」がどうしても知りたかったのだ。そして、恐れていたとおり、妻の日記には、死んだ親友ジャックへの思いが切々とつづられていて、ジャンはうちのめされる。

「あなたは」と日記のなかでクレールは、いまはもうない友人に語りかける。「私の生活に、意味を与えてくれた……（あなたの死によって）私の歴史は終ってしまった」

やさしいだけの夫へのいらだちについて、彼女はこんなふうに書く。

「ジャンは私に対して、女としての魅力を評価してくれる。私はかれの生活を美しくし、かれの家に生気を与えるため（だけ）に存在しているのだ。そして、かれは私に、独自の生活を与えようとはしない」

そのあと、ジャンはすこしずつ、変りはじめる。ある友人がドイツ軍に逮捕されてまもなく、彼も捕まる。半年の苦しい牢獄生活のあと、釈放されて家に戻って見ると、クレールがいない。彼女も逮捕されたのだ。そして彼女の日記が残されている。

「ジャンは変った。あの人を失ったいまになって、私はあの人を愛している」

「それはけちな自己愛でもなければ、倦くことを知らぬ所有愛でもない。そうではなくて、わかち合う努力、共通の世界観、より美しい生活（生き方）に対する信念の上にきずかれる愛。自由から切り離されず、生きることの唯一の理由である、あの愛」

小説は、ジャンがふたたび抵抗運動に身を投じるだろうと思わせる言葉で終っている。新進のジャーナリストだった著者モルガンがこの小説を書きはじめたのは、彼自身、ドイツ軍の捕虜として、オーストリアの収容所に抑留されていた一九四一年、パリで書き上げたのが二年後の四三年。そして、ストーリーの時間も、彼に似た境遇の語り手が、チロルの捕虜収容所からナチ占領下のパリに帰還するまでの半年ほどのあいだに設定されている。彼自身ユダヤ系と思われる著者は、「パリ文学」という非合法出版物を、ナチが壊滅するまで主宰しつづけたと、あとがきに書かれていた。

ひろびろとした図書館のガラス窓から見える夕空に、うすいピンクの雲が西から東に走っていった。上空には風が吹いているのだろう。何日ぶりかの夕映え。暮れきらないうちに、むかし仲間たちが集まった家のあたりまで歩いてみよう。そう決めると、いそいで本を司書係にもどし、外に出た。ベゴニアを植えこんだ花壇のそばを通ったとき、さっき入口の案内にあったホタル鑑賞会に連れていってもらうのだろう、浴衣を着た三歳ぐらいの女の子が、パウダーの匂いをあたりにまきちらしながら、母親らしい若い女に手をひかれて広場を横ぎって行った。父親はまだ会社なのだろうか。

『人間のしるし』が、あの時代に私たちをとりこにした第一の理由は、それが抵抗運動について書かれたものであったからであるのは、まちがいない。わずか三、四年の違いで、戦争に行った人たちと大きく隔てられていた私たちの世代は、おとなに対してヒツジのように盲従し、メダカみたいに列をつくって、戦争に参加した。そのおなじ時代にヨーロッパでは、同年代の若者を含むあらゆる年齢層、社会階級にぞくする多くの市民が、まずなによりも、人間らしさを大切にするという理由のために、抵抗運動に参加したことを、私たちは戦争が済んでから知って、唯々諾々と戦争を受身で生きてしまった自分たちの精神のまずしさに愕然とした。

でも、この小説が、抵抗運動についてだけ書かれたものだったら、たぶん、あれほど私たちを興奮させはしなかっただろう。目のさめる思いであの本を読んだのは、そこに「人間らしく生きる」とはなにかという問題が、根本のところで提示されているように思えたからだった。「らしく」なるまえに、人間とはいったいなんだろう。男女とは……。

女の私たちを、やさしい心と行動で守ってくれそうなジャンたちは、あのころすでに私たちの周囲にもいた。でも、いきいきした人間の目でものを考え、行動しようとするクレールを、ジャックのようにはげましてくれる男が、はたしているだろうか。いや、私たちこそ、ただ女であるだけでなく、自分のあたまでものを考える人間として、クレールのように生きているだろうか。

きみたちは、そういうけれど、仲間のひとりで、国立大学を出て大手の貿易会社に就職したばかりの友人は、当惑顔で言った。ぼくには、とてもジャックみたいに孤独な生き方はできない。それに、ぼくは女のひとを守ってあげたい。妻になるひとなら、なおさらだ。家庭のしずかな幸福だって、大切じゃないだろうか。

それは、わかるわよ。大学院の同級生だった仲間のひとりは、半分、自信があるような、あとの半分は、自分を勇気づけるように、小さいけれどしっかりとした声でいった。私は、なによりもまず、クレールのように強靭な思考ができる女になりたいし、結婚しても、ずっとクレールでいたい。そして、自分の夫になるひともジャックでいてほしい気がする。結婚するまえの自分の写真を見て、がっかりするような生き方をしたくないもの。夫にかわいがってもらうだけの妻には、なりたくない。

三人の生き方について、私たちはいったい何時間しゃべりつづけただろうか。共通の世界観とか、自由なままでいるなかでの愛とか、まだほんとうに歩きはじめてもいない人生について流れる言葉は、たとえようもなく軽かった。やがてはそれぞれのかたちで知ることになる深いよろこびにも、どうにもならない挫折にも裏打ちされていなかったから、私たちの言葉は、その分だけ、はてしなく容易だった。

公園の角の信号を右に折れて、光林寺にゆく広い坂道を、私はゆっくりと降りはじめた。五十年まえ、質素で閑静な屋敷町だったそのあたりは、いったいどんな人々が住んでいるのかと思うほど、贅沢な共同住居群になり変っていて、ひっそりしているのだけが、むかしとおなじだった。音楽にすべてをかけて、クレールを「純粋に」愛することだけを考えたジャックが、収容所の病室で死んでしまうのは、小説としては当然なのだ。そう思いついたとき、ぱらぱらと作品があたまのなかでほどけはじめた。

性急に生きて収容所で命を終えたジャックは、ひとつの思想でしかない。ほんとうに人生に参加したのは、クレールを守りたいと思って彼女と結婚し、妻から手紙をもらいつづけるジャックに嫉妬し、彼が死んだあと、わけのわからない力に押されるようにして、抵抗運動にとびこんでいったジャンだ。彼こそ、より人間らしいやり方でクレールを愛したのではなかったか。あれから四十年、『人間のしるし』への、それが私の答えだった。

「ジャックと私は、夜おそくまでサティの音楽について語りあった」

坂を降りながら、ジャンが盗み読みしたクレールの手帳の一節を、私は自分のなかで繰り返していた。あの本を友人たちと読んだころ、サティという音楽家がいたことも、もちろん、彼の作品についても、そしてなによりも、人生がこれほど多くの翳りと、そして、それとおなじぐらいゆたかな光に満ちていることも、私たちは想像もしていなかった。

アルキビアデスの笛

「どんな本がいいのか、わたしにはさっぱりわからんで、潤一兄さんに選んでもらったんよ。あんたたちがどんな本を読むのか、おばあちゃんにはわからんから」

めったに旅行をしなかった、したがって私たちが会うのはほんとうに稀だった母方の祖母が、お国なまりでそういいながら、角ばった紙包みを私と妹にひとつずつ手渡してくれた。開けてみると、私のは茶色がかった表紙の本で、『プルターク英雄伝』。それまで読んだことのあるどの書物よりもぶ厚く、読みごたえがありそうだった。ずっしりと手に重い感触と、いかにも「男の子向け」といった地味な装幀に、私は身がひきしまるようにうれしかった。祖母から本をもらったことに加えて、尊敬するいとこの潤一兄さんが選んでくれたことが私には二重に誇らしかった。

潤一兄さんは、六つ七つ年上のいとこで、目黒の駅から遠くないところに住んでいた母の姉のひとり息子だった。いま考えると、私や妹が子供のころ、彼はずっと早稲田の大学生だったような気がするのだけれど、そんなことがあるはずはないから、たぶん、予科とか高等学校に行っていたのだろう。私と妹は小学校の五、六年生で、伯母の家にいくと、どこかのんびりした潤一兄さんを、遠巻きに眺めるちょっとまばゆい感じで、意識していた。

おとなしい性格の潤一兄さんは、伯母が、いまに床が抜けるわよ、きっと。あの子は本ばかり読んでいて、将来どうする気なのかしら、と心配するほどの読書ずきだった。大学の専攻は、たしか兵隊にとられるのがおそいからという理由で、理科系だったけれど、彼の読書範囲は茫漠とはてしなかった。彼がいつも「たてこもる」という感じで机に向っていた座敷は、大きい勉強机のうえはもちろん、その下も、よこも、壁ぎわも、隙間という隙間が、ありとあらゆる種類の本で埋まっていた。

どの指だったか、子供のときにけがをして、そのため彼は、左手の指の何本かをちょっと裏がえすような格好にして、本を目の高さに支え、ごつい黒ぶちの眼鏡をかけ、まるでおいしいものを少しずつ嘗めるように本を読んだ。私たちが母に連れられて伯母のところに遊びにいくと、しばらくは、となりの座敷から、咳ばらいだけが聞こえてくる。

伯母にうながされて私たちが、潤一おにいちゃん、こんにちは、と声をかけると、彼はあぐらをかいたままで、ふすまを顔の幅だけ開け、目がねの奥の目を細くして笑いながら、口をまげて、よっ、といった。あいさつは、それだけだったが、あれは内気な彼にとって、せいいっぱいの愛情の表現だったにちがいない。それなのに、幼い私にはわからなくて、ものたりなかった。またまたさわがしい連中が来たな。素っ気ない彼のあいさつが、そんなふうにも思えて、本気で相手してもらえないのがかなしかった。だから、潤一兄さんが選んでくれた、と祖母が手渡してくれた本は、そのことだけでも、じゅうぶんすぎるほどありがたいのだった。

こうして『プルターク英雄伝』が私の世界に侵入してきた。編著者は澤田謙。人生のある時期にとって記念碑的といえる本がだれにでも何冊かはあるものだけれど、母方の祖母のおみやげにもらった『プルターク英雄伝』は、私にとってはまさにそんな書物になった。ティーンエイジの入口で出会ったこの本が、どうして私をあれほど感動させたのかは、いまもってよくわからない。とにかく、寝食を忘れるといった激しさで、当然、宿題もともだちもそっちのけで、私はその本に傾倒してしまった。

白馬にまたがってマケドニアから世界制覇に乗り出したアレクサンドロス大帝。テルモピレの戦いで味方に裏切られ、敵軍の包囲のなかで死を迎えるスパルタの勇将レオニダス。象をひきいてアルプスを越えるが、もっとすごい戦略家の大スキピオに裏をかかれて失脚するカルタゴの名将ハンニバル。アテネに民主政治を敷いて黄金時代を招来するペリクレス。ブルートゥスの凶刃に倒れる偉大な支配者カエサル。ローマもアテネも知らないくせに、私は、それらしい白い街角で彼らに会う夢を見てしまうほど、プルタークの、そして半分は澤田謙という書き手の「英雄たち」にのめりこんだ。

ギリシア人のプルタルコス（プルターク）が紀元一世紀に書いたといわれる『対比列伝』（英雄伝）という、いっぷう変った題の原本は、ギリシアとローマの傑出した人物をふたりずつ選んだうえで、それぞれの伝記を述べ、そのあとに、両者を対比して優劣を論じる文章を置くという、独特な構成で書かれている。たとえば、王者としてのギリシアのアレクサンドロスとローマのカエサルを組みあわせる、あるいはアテネで雄弁家として聞こえたデモステネスには、おなじく名演説の数々で群衆をうならせたローマのキケロが論じられ、対比されている。

澤田謙の『プルターク英雄伝』は少年（少女？）用に書きなおされたものだったから、当然、もとの複雑な構成は省略されていて、編著者がこれと思った「英雄たち」の、伝記の部分だけをやさしく書きなおしたものだった。それにしても、あれほど私をのめりこませたのは、よほど語りの技法にひいでた筆者だったのではないかと、いまの私には思える。

そして、なかでもふしぎなのは、これら列伝のなかで、なま乾きのコンクリートを渡っていったネコの足跡が、そのかたちをいつまでもとどめているように、しっかりと私の記憶に灼きついて残ったのが、アレクサンドロス大帝の野望でもなければ、キケロの雄弁（第一、この「雄弁」という言葉が、私にはずっとあとまで、なにを指すのかよく理解できなかった。大日本雄弁会、という名のついた出版社の名もふくめて）でもなくて、ごく地味な、ふたつの名前とふたつのいっぷう変ったエピソードだった事実だ。

そのひとつは、アテネで大雄弁家と称されたデモステネスについての話。偉大な政治家になろうと決心した少年デモステネスは、言葉をどもるくせがあってどうしてもなめらかに話すことができない。それで、海辺に行くと、彼は小石を口にふくんで大声で演説の練習をする。口の中の小石と波の音にもかかわらず、そうやって、はっきりと人に話の内容が伝えられるように練習した。

小石なんて、口の中が痛いじゃないか、それにしても変な人だなあ、と最初それを読んだとき私は思った。それでいて、ひとり海岸を歩きながら、雄弁の練習をする孤独な少年のすがたが、好きだった。波の音だけがざあっざあっと聞こえてくる浜辺を、なにやら大声で演説しながら足早に歩いていく、白い短衣に革のサンダルをはいた少年。

なにかに到ろうとすることが孤独な作業だということを、私はこの話から小学生なりに理解し、そのことになぐさめられ、それからもずっと、小石のエピソードのためというよりは、浜辺の孤独な少年のイメージのほうに親近感をおぼえてなつかしんだ。

ところが、である。最近、古い岩波文庫の『プルタルコス英雄伝』を読みなおす機会があって、デモステテネスの項を見ると、海辺の孤独な少年がどこを探しても存在しないのである。キケロとならぶ偉大な雄弁家としてプルタルコスが選んだ、アテネのデモステネスについての記述にあるのは、小石を口に入れて演説の練習をしたというエピソードだけで、ひとり海岸を歩いて、とか、波の音に負けないように、というような箇所は、原文のどこにも見あたらない。海岸を歩く少年の話は、私が勝手にあたまの中でつくりあげてしまったのだろうか。それとも、私が読んだ少年向けの本を編んだ澤田氏の虚構にすぎなかったのか。

私のもうひとりの「英雄」は、アルキビアデスだった（アルキビアデス、という日本語ではどうにも捉えようのない名が伝えてくる、ふしぎな、覚えにくい音の組みあわせも、私には心地よかった）。この人物についてもデモステネスの場合とおなじように、私の記憶に残ったのは、彼の子供時代のエピソードだった。

アルキビアデスは当時の風習にしたがって、少年のころ、学校で笛をならったのだが、彼はこれを嫌って教師に反抗したという。人間は、ものをいうために口がある。それなのに、笛を吹いているあいだは、それをあきらめることになる。それではあまりもったいない、という話だ。「人間にはものをいうために口がある」というくだりを読んだとき、ほんとうにその通りかも知れない、と十一か二だった私は感じ入った。自分とおなじぐらいの年齢の少年がそういったという事実に感心したのかも知れない。

ずっとあとになって、パリで勉強していたころ、私のいた学生寮にヒルデガルトというドイツの女の子がいて、南ドイツで演奏会をひらくほどのフリュート奏者だった。私に笛の吹き方を教えてあげるといって、しばらくのあいだ練習に明け暮れたのだが、もともと彼女のほとんど一方的な申し出だったし、私は才能がなかった。でも、ドイツ人らしく、ヒルデガルトはまじめだった。ときどき、今日はお天気がいいから公園に行きたくなったとか、どうしても読んでおかなければならない本があるとか、あまり説得性のない理由をならべて、おけいこをさぼろうとすると、彼女は、だめだめ、一回でも休むとまたもとにもどる、といって、こんりんざい離してくれない。べつに笛がいやになったわけではなかったのだけれど、あるときアルキビアデスを思い出して、ヒルデガルトにその話をして聞かせると、彼女は、とんでもないというように私をにらみつけて、いった。あら、笛でこころをあらわせばいいじゃない。その返事のあまりな単純さ明快さに、私は降参して、考えた。アルキビアデスだったら、なんと答えただろう。

岩波文庫版の『英雄伝』は、このアルキビアデスについても、私の記憶にはない、それでいて、かなり重要とおもわれるディテールを伝えていた。アテネ人であった彼は、たいへんな美男子だったというのである。容姿端麗、という言葉が使われていて、こんな文章があった。

「彼の美しさは、生涯のあらゆる時代を通じて、彼と共に花ひらいた」

少年のときは少年らしい美しさ、青年のときは青年の力強い美しさにかがやき、さらに壮年になっても、老人になっても、それぞれの時期に考え得るかぎりの最高の美しさに恵まれていたというプルタルコスの述懐には、どこかうさんくさいひびきさえあった。うさんくさいだけでなくて、読みようによっては、プルタルコスはアルキビアデスが笛を嫌ったのは、どうやらこれを吹いているあいだ、自分の美貌が著しく損なわれるからだ、と説いているようでもあった。だが、その少し先には、こんなアルキビアデスの言葉も引用されていて、私はひと安心した。彼によると、リラを弾く人間は同時に歌う

 こともできるけれど、笛だったら「声も言葉も出なくなる」。そもそも自分たちアテネ市民は、「口のきき方も知らない」テーバイの連中とは違うのだから、言葉をおろそかにするような楽器を選ぶのはつつしむべきだと。

自分の考えを人につたえるためには、明確な言葉でこれを表現することが大切だという、ふたりの少年の（あるいはプルタルコスの）いかにもアテネ人らしい思想が、他のどの英雄のめざましい活躍にもまして私には魅力的だった。

山を歩いていて、前方の霧がふいに霽れ、自分がめざしている方向が一瞬のあいだだけ見えることがある。小学生の私がプルタルコスの話に読みとったものは、どこかそんな旅人の経験に似たものではなかったか。もちろん霧はまたすぐにすべてを包みこんでしまうから、旅人は、自分がめざしていたのはたしかあっちのほうだった、というたよりない記憶だけにたよって、ひとり歩きつづける。

ダフォディルがきんいろにはためいて……

父の本棚で見つけたその詩集を私が勝手に抜きとってしまったのは、戦後たぶん二年ほど経ったころだった。だまって失敬した父の本に、私が初心者のあつかましさで、濃い鉛筆でぐいぐいアンダーラインをひいたり、なんでもない単語の下に辞書と首っぴきで日本語の意味を書き込んだりしていたのを、持主はさいごまで知らなかっただろう。若い父は、書店である日この本を見て、お、英詩を原文で読んでやろう、と勢いこんだにちがいない。財布をはたいて本を手に入れ、家に帰って読んでみるのだが、思ったよりもわからない単語がたくさんあって、なんだ、と彼はがっかりする。そして、まもなくその本を買ったことさえ忘れてしまう。新しがりやのくせに、飽きっぽいところもある父のそんな情景は目にうかぶようだった。

本というのは、アメリカで出版されたイギリス詩集で、むかしはきっと読者の気をそそるような絵のついたカヴァーがかかっていたに違いない、いまは剥きだしで、すっかり色褪せた緑の表紙は四隅がひよひよになって、背表紙の金文字もすっかり褪せている。裏をかえすと、コーヒーなのか、ウィスキーか、褐色の液体がしぶきのように飛び散ったあとまでついている。(これは、レポートを書いていた私のしわざだ。)

正確な題は"ENGLISH POETRY, ITS PRINCIPLES AND PROGRESS"『英詩、その原理と進展』、こう書くといかにも仰々しいけれど、中身はごく単純で、イギリスの詩法をかんたんに説明した総説のあとは、古今の代表的な詩を世紀ごとに紹介したもので、詩の研究というよりは、むしろ、アンソロジーの性格がつよい本だ。編者はカリフォルニア大学の教授がふたりと、サンフランシスコの私立高校の先生がひとり、発行されたのは一九二二年。東京の学生時代の父の買物だとすると、すでに発行から五年は経っていた本を手に入れたことになる。いずれにせよ、まっさらといっていい本の外観や、あきらかに開いたことがないために、まだところどころくっついていたページの様子からみて、彼がじっくりこの本の解読にとりくんだ形跡は、まったく見られなかった。

一九四五年の秋、勤労奉仕やら学校工場やらで勉強がおくれにおくれていた女学校の課程をとり返すひまもなく、十六歳でおなじ系統の専門学校の英文科生になってしまった。入学してしばらくはイギリス人やらオーストラリア人、アメリカ人のシスターたちの英語を聞きとって、毎日山のように出される宿題をこなすのがやっとだったが、二年目の終りちかくには、どうにか英語の詩が手さぐりで読めるようになっていた。東京の寄宿舎から関西の家に帰省していた夏休みのある日、父の本棚に英語の本を見つけたときの心のたかぶりは、いまもはっきりと記憶している。

まだまだ外国の書物が手に入りにくい時代だったたし、たとえあっても私たちには手がとどかなかったから、学生たちは、ふだん、シスターが黒板にチョークで書いた詩を手書きでノートに写しては、勉強していた。家で英語の本を見つけただけでもびっくりだったのに、それは、シスターたちが大切そうに教室に持ってくる本の、私たちがノートに写していた詩のほとんどがのっているという、まるで奇跡みたいな本だったのだ。

イギリスの詩集といっても、そのころの私は、ほんとうのところ「抒情詩」とはどういうものなのか、詩の虚構とはどんなものなのか、詩という表現が散文のそれとはどんなふうに違うのか、なにもわかっていなかった。（いまだって、あまりわかってはいないけれど。）ただ、自分は散文より詩が好きだ、という、天から降ってきた確信のようなものに振りまわされていて、それが私を詩に駆りたてていた。でも、私のなかにわだかまっていた詩そのものについての百の疑問は、まず英語をとことん教えこもうと日々躍起になっていたシスターたちには通じなくて、私は雲のなかを漂うように、詩を愉しみ、味わっていた。こうして私がはまりこんだ詩のなかに、ワーズワースの有名な「ダフォディル」があった。

谷や丘のずっとうえに浮かんでいる雲
みたいに、ひとりさまよっていたとき、
いきなり見えた群れさわぐもの、
幾千の軍勢、金いろのダフォディル。
みずうみのすぐそばに、樹々の蔭に、
そよ風にひらひらして、踊っていて。

この詩を、私たちは英語で暗記させられていた。暗記というのは正確でない。暗誦させられるのだった。大きな声で、ひとりひとり直立して、暗記した詩をみなのまえで朗誦するのだから。典型的な強弱四歩格の単純な詩行で、内容もいま読むとむしろほとんど幼いほどの自然描写なのだけれど、目をつぶると、丘の斜面に群れ咲く何百何千の黄色いダフォディルが風に揺れた。

（ダフォディルということばを私が日本語に訳さないのは、「ラッパズイセン」という訳語を使いたくないからだ。ラッパという語感、戦中にそだった私はどうしても軍隊にむすびつけてしまうのと、奇妙に乾いた音がいやだから。それからもうひとつ、スイセンという日本的な「いじらしい女性」みたいな、まじめそのものみたいな花のイメージをここにもってきたくないからだ。スイセンそのものが、きらいなわけではない。）

詩を読んで、もしかしたら、私は作品そのものよりも、黄色いダフォディルが咲いた景色にあこがれたかも知れない。いつかそんなところに行ってみたい、目をつむって、私は思った。早春で、やっと芽ばえはじめた緑の草によこたわると、あたまのうえで、黄色いダフォディルが風に揺れている。胡粉をまぜたような緑の、これもしずかに風にゆれている小さなナイフをそろえたような葉むら。

そのころ学校の敷地の半分は、まだ錆びた鉄くずや黒く変色した石がそこいら中にころがる旧校舎の焼け跡で、授業はどうにか使用に耐える焼け残りの教室でおこなわれていた。もともと定員が極端にすくない学校だったのだけれど、受験期がちょうど昭和十九年のおわりという戦争の最悪の時間がすぐそこに迫った時期だったから、受験した人がまず少数だった。それも、歴史科や国文科とちがって、敵性語といわれた英語で、敵国の文学などを勉強する私たちの学科の、受験生は極端にすくなくて、二十年の九月、学校が再開したとき、英文科の新入生は十五、六人という淋しさだった。

異様なくらい小さなクラスだったから、毎年、新学期がきてもちゃんとした教室はもらえなくて、いつも、聖堂の裏の小部屋だったり、もとはミシン室で「北極」とみなが呼んで敬遠していたどうにも寒い小部屋だったり、どれも、こんなところに部屋があったのかと思うような陽あたりのわるい貧相な教室をあてがわれた。終業のベルが鳴って、私たちが教室から出ていくと、なにかの用事で通りかかった歴史科や国文科の生徒に、あら、こんなところに教室があったの、と哀れがられて、憤慨したりした。

しっかりと閉じたまぶたのなかで、私たちが太陽そのもののようなダフォディルの群れを夢みていたのは、そんな隅っこの寒々とした教室でだった。将来なにをすればいいのかさっぱり見当もつかない分だけ、いつもおなかがすいていた分だけ、群がり咲く詩のなかのラッパズイセンは金色にかがやき、さわさわと木かげの風に揺れた。

父の本棚から盗んだ本には、ウィリアム・バトラー・イェイツの「イニスフリー湖の島」も入っていた。でも、その詩が、とくべつなものとして、私のまえにすがたをあらわしたのは、大学に入ってまもないころの夏休みだった。関西でおなじミッション系の高校に行っていた妹が、クラスで暗記したのを、聞かせてくれた。そのころ彼女たちはスコットランド生まれのシスターからディクションといって、イギリスの伝統的な詩の読み方を仕込まれていて、「イニスフリー」は授業の一端として学校で覚えさせられた詩なのだった。

さあ、立ちあがって行こう、イニスフリーに行こう、
ちいさな小屋をあの島に建てよう、粘土と小枝を使って。
豆は九列でいい、それから蜜をとるのに、ハチの巣箱と、
ミツバチが騒ぐ谷間で、ひとり暮らそう。

こんなうつくしいことがあるか、とその詩を聴いて私は思った。妹には好きな男の子がいて、私はまだぼっさりしているのに、彼女は目も肌もかがやいていた。I will arise and go now, いますぐ立ちあがって、私は行こう、という冒頭の句が、私たちがまだ知らなかった人生の部分に足を踏みいれようとしている妹の、あたらしい出発の宣言のようにもとれた。完璧、と私には思えた発音と抑揚で妹はつづけた。

それから、安らぎをすこし手に入れよう、安らぎはゆっくりと降りそそぐから、
朝の時間の紗をとおしてコオロギが歌うそのあたりまで

真夜中がきらめきそのものになるあたり、正午はむらさきのほむら、
そして夕ぐれはベニヒワの羽ばたきにすべてがいっぱいになる。

ベニヒワと辞書にあるlinnetということばの、音も、リズムも、すばらしいと私は思った。1の発音が二重のnに受けつがれたあと、tのひそやかな音で結ばれていて、あたりいちめんを被う夕暮の小鳥の羽ばたきが聞こえそうだった。

もうひとつ、noon a purple glow「正午はむらさきのほむら」というフレーズも、わたしにはかけがえのないことばの組みあわせに思われた。正午、あるいは真昼が、どうして夕暮どきみたいにpurpleなのかわからないばかりか、むらさきに燃えあがっている。いったいどんな景色を指すのか。それでいて「これ以外にない」といった深い感じが、この四つのことばの組みあわせに、ひそんでいた。

舗装されたロンドンの街路にたたずんで、つくづく故郷を憶っているという詩人の感慨でその詩は終っていたけれど、私には最後の一節はちょっと蛇足に思えた。I will arise and go now, だけで、詩人が、もういい、こんどこそ自分らしい生活にもどるぞと決心しているのがわかる。

そういう決心自体が、虚構だとわかるようになったのは、その詩を暗誦してくれた妹

が結婚して何年も経ってからだった。都会の喧噪にまみれて、ほんとうにいやだったら、詩人はとっくに帰郷していたに違いないし、緑の表紙の詩集の説明にあったように、アイルランドの文芸復興などというややこしいことに首をつっこんだりしなかったはずだ。イェイツは、やっぱり、都会にいたからあんな詩を書いたのだから。故郷から引き裂かれて、都会の喧噪に生きる詩人のところには、しばしばかけがえのないことばが、運ばれてくる。

ずっとあとになってから、調べることがあって、たしかエルマンという学者が書いたかなり大部なイェイツの評伝を読んだとき、ああ、あの詩を書いた人だと思った。作品の評価と並行して、彼の人生の軌跡のようなものも、克明にたどってあったが、生臭いような部分もずいぶんある生涯のようだった。その人のどういうところから、こんなしずかな作品が生まれたのかと、評伝を読みながら考えた。

自分には詩しかわからない、散文はなにも語りかけてくれない、自分がほんとうに理解できるのは自然にかかわる抒情しかない、そんな思いに囚われて、ながいこと手足を縛られたようになっていたころのことを、エルマンのイェイツと、イニスフリーの詩とが、思い出させてくれた。詩と自然にひたりたかった私が、なによりもまず人間、というフランスやイタリアのことばに、さらにこれらの国々の文学にのめりこんで、はては散文を書くことにのめりこんでいったのが、ふしぎな気がする。それでも、父のものだったあの緑の表紙の詩集を本棚に見かけるたびに、いまもきんいろのダフォディルが目の奥のほうの水辺にひらひらとはためき、linnet という、跳ねるような音をもった小鳥の名が、どこか遠くからかすかにひびく。

赤い表紙の小さな本

四月になったら手をつけようと思っているちょっと重たい仕事の準備がてら本棚の整理をしていると、古い書物のあいだから、そんなところに入れたはずのない赤い小さな本が、岩かげにひるがえる小魚みたいに目にとまった。はがきよりひとまわり小型のサイズで、マーガレットもどきの小花を茶色い髪いちめんに挿した色白で目の大きい女の子の絵が片隅に貼ってあって、あちこち色が剝げおちた赤い表紙には、白の、当時にしてはかなりちゃんとしたレタリングでBIRTHDAY BOOKとある。女学生のころ、寝ても醒めても、という感じで熱中していた中原淳一（画伯、とあのころはいった）装幀の誕生日帳で、日付と花もようのはいった薄い紙の一ページがそれぞれ四つに区切られていて、当時の学校の仲間、近所の遊びともだち、まだ若かった叔父や叔母たち、いとこ連中までが、それぞれの誕生日に小さな言葉をそえて署名してくれている。引越すたびに、もうこんなものは棄てようと思いながら、なんとなく棄てられないでいて、ふだんは本に埋もれて隠れていたのが、ひょっこり出てきたのだった。

この、本ともいえない小さな本を、空襲警報が鳴るたびにかならず防空壕にもっているほど大切にしていたのは、むろん友人たちに名を書いてもらったのが戦争のまっただ中で、疎開やなにかでいったん別れるといつどこで生きて再会できるかわからないといった時代だったこともあるけれど、なによりも、毎月の最初のページに載っていた、上田敏の訳詩のせいだった。一月がハインリッヒ・ハイネの「花のをとめ」、二月が有名なブッセの「山のあなた」、とつづいて、三月がダンヌンツィオの、《彌生ついたち》ではじまる「燕の歌」、という具合につづいて、十二月はサッフォーの、「忘れたるにはあらねども」という、ひとつだけ枝に残された林檎についての断片で終っている。

詩というものにひかれるようになったのは、小学校の五、六年のころだったろうか。それはちょうど、「私」という言葉が、ものを書いたり、言葉を話したり、歩いたり、笑ったりしているこの自分ぜんたいを指すのだ、ということに気づいて、それをまるで重大事みたいに、凄い、凄い発見しちゃった、と騒ぎまわっていたのを、級友たちに、あたりまえじゃない、と軽くいなされて落ち込んでいた、ちょうどおなじころではなかったか。父の本棚から持ち出した白秋の『邪宗門』をささえる、耳に刻みこまれるような言葉のリズムとあざやかな南蛮色のイメージに驚き、泣菫の感傷にみちた詩語にほれこんで、自分にとって詩人になるほか、選ぶ道はないように漠然と思いこんでいたころのことだ。

訳詩というものに出会ったのは、そのあとだったようにも思うし、「山のあなた」をはじめて読んだのは、小学校の国語の教科書でだったような気もする。私が「山のあなたに」と口ずさんだとき、そばにいた母がすばやくそれに唱和したのに、びっくりしたことがあった。こんな詩を、どうしてママ知ってるの？　とたずねると、そんなぐらい、と母は笑って、ちょっといばった顔をしてから、まるでお経みたいに、カール・ブッセ、上田敏訳というと、おわりまで、そらですらすらといった。

「さいわい」を探しに遠いところまで山を越えて行った人がいる。でも、どういうわけか「さいわい」を見つけることはできなくて、「涙さしぐみかへりきぬ」という、なんだかきのどくな詩なのよねえ。母はたしかそんなふうに説明してくれたが、母と詩の話をするのはめずらしかった。涙さしぐみって、どういうことなの？　私が訊ねると、母は、それは泣きそうになって、という意味よ、としごく簡単にこたえた。ふうん、ずいぶんかわいそうな人だねえ、と同情する私を見て、母は、そうよ、でも、だれでも、そんなものなのよ、と笑った。でも、なにがそんなものなのか、小学生の私にはわからなかった。ただ、グリム童話集の挿絵に出ているような、棒の先に着更えを入れた包みをぶらさげた西洋人の男が、紐でしばったぶかぶかのブーツをはいて、山を越えていく後ろ姿が見えるようだった。こんな詩を書く人になれたら。私はかなり本気でそう思った。

訳詩と新体詩が、もつれあうようにして日本の現代詩をつくりあげていった過程について など、まったくなんの知識もなかった私は、もともとは「外国の詩なのだ」という自覚のほとんどないまま、日本の詩はわきによけるようにして、訳詩だけを追いつづけた。いつか、ラッカセイというのを、ピーナッツの英語だと思いこんでいた日本の子供の話を聞いて笑ったことがあるけれど、詩に関する無知度でいえば、私だって、その子と大差なかったし、中原淳一の誕生日帳を非常食の煎り豆や包帯といっしょに、たしか「救急袋」と呼んでいた、あの肩から斜めにかけた袋にいれて持ち歩いていたころは、上田敏の訳詩の断片が、私にとってはこのうえない文学への導き手だった。

三月のダンヌンツィオの詩は、七・五調の「彌生ついたち、はつ燕」ではじまっている。弥生は旧暦三月なのに、私はなにげなくそのまま鵜呑みして、現行の太陽暦の三月一日に南の国から飛んでくるつばめをずっと想像していた。「ずっと」と書くのは、戦争が終って、私が留学先のフランスから、イタリア中部の山間のまちの大学にいったときまでだからである。戦争が終って、十年以上も時がすぎていた。

「ダンヌンツィオが詩劇『フランチェスカ・ダ・リミニ』でいっているように……」ものうい夏の午後の授業で、プロシュッティ先生の声が天井の高い、ルネッサンス様式の教室にひびいていた。「ツバメがイタリアのこの辺りに飛んでくるのは、三月二十一日、聖ベネデットのお祭りの日だと私たちはいいます。みなさんもご存じのとおり、フランチェスカの生まれたリミニは、ここからさして遠くない海辺の町です」

そう結ぶと、先生はあのすこし調子はずれな高い声でダンヌンツィオの詩を誦えてみせた。聖ベネデットの祭りの日の、ことしはじめてのツバメよ……

彌生ついたち、はつ燕

上田敏は（英語訳を通して、といわれてはいるけれど）日本人には意味のつたわらない聖ベネデットの祭りというのを、いったん、三月二十一日という日付にあたまの中でなおし、それを春分の日と理解したうえで、「彌生ついたち」という句に到ったにちがいない。こういう訳の仕方は、いまでは原意に忠実でないとしてあまり歓迎されないが、それでも、彼の頭脳の迷路を示しているみたいな、どこかアクロバット的でさえある敏の字句には、やはり名人でなければできない、心をしんとさせるものがある。「彌生ついたち」の詩が、赤いバースデイ・ブックを手にするたびに目にはいるのには、もうひとつ理由がある。それはダンヌンツィオの詩のつぎのページにある、三月四日のところに、私のいわば少女時代に、だれよりも影響を受けた級友のサインがあるからだ。一学年、一クラスでたった三十四人だったが、どういうわけか早生まれがすくなくて、ほんとうの名は重子なのに、しいべ、とみなに愛称で呼ばれていた彼女の誕生日、三月四日は、みんながもうひとつ歳をとったあと、ビリにやってきた。色白でぽっちゃりした丸顔でほっぺたの赤いしいべは、五歳うえのお姉さんがあったせいか、もの識りでみんなが一目おいていた。そのせいだろうか、自分の生まれた日に署名だけというのがほとんどの中で、彼女は、まるっこい、すこしえらぶって変体仮名をまぜたりした特徴のある字体で、名前のまえにこんなことを書いている。

個性を失ふといふ事は、何を失ふのにも増して淋しいもの。今のままのあなたで!

一九・一〇・一二。

昭和十九年の十月だから、彼女も私も十五歳で、ふたりとも、いつ爆弾で死ぬかわからないと、ごく日常的に、でも真剣に考えていた。それでいて、私は専門学校の英文科に進んで、将来は英語を使う職業について独立した生き方をしたいと考えていたし、しいべはキリスト教をもとめていた。当時の私は、自分も周囲もごまかそうとして、ふだんはふざけてばかりいたのだけれど、しいべといっしょのときだけは、真剣に人生や戦争や宗教の話をした。キエルケゴールに熱中していた彼女と話しはじめるとお互いに止まらなくなって、学校工場の帰り道に電車に乗りおくれ、家で帰りを待っていた母たちが心配したりした。翌年、戦争が終って、やがて私たちは大学で再会することになるのだけれど、しいべは結核で休学したあと、私がフランスに行っているあいだに、カルメル修道女会のシスターになった。

そのまんまでいい。尊敬していたしいべがそう書いてくれたことは、どちらを向いても、変ってる、といわれつづけて頭の上がらなかった私には、このうえなくありがたかった。しいべだけは、わかってくれてる。彼女が病気で休学していたときも、やがて修道女になる決心をしたと聞いたときも、イタリアで夫が急死して思いがけなく彼女が北海道の修道院から長い手紙をくれたときも、そして、五十歳をちょっとすぎたばかりで、難病とたたかった末、あっけなく死んでしまったときでさえ、そう思うと勇気が出た。

赤いバースデイ・ブックも終りに近い十月の詩は、敏ふうに書くと、ポオル・ヴェルレエヌの「落葉」になっている。よく知られた「秋の日の／ギオロンの／ためいきの／身にしみて／ひたぶるに／うら悲し」だ。これも母は知っていた。ふつうなら五音節を受ける七音節を入れないで、ぜんたいを五音節だけで通しているところが、この詩の基調にある喪失感を高めているのだけれど、もちろんそんなことは理解できなくて、この悲しさが、私にはひたすらおそろしいだけだった。とくに終節の

げにわれは
うらぶれて
こゝかしこ
さだめなく
とび散らふ
落葉かな。

は怖くて、ヴェルレエヌという詩人はどうして自分のことを、こんなにおとしめてうたうのか、どうにも不可解に思えた。留学したパリに着いてまもないころ、夢みたいに美

しいはずだったこの街なのに、八月末のつめたい雨の舗道には濡れたプラタナスの大きな葉が散り敷いていて、私はもっとわかるはずだったフランス語のむずかしさに、ほとほと手を焼いていた。それっぽちの行きづまりなど、ヴェルレエヌの「うらぶれて」からは程遠いことが理解できるまでには、また果てしない、ときには本も読めないような時間が経ったのだけれど。

しいべが逝って何年も経ったある六月の朝、私は友人たちと小樽にむかう列車に乗っていた。雨もよいで、土色に濁った海が白い泡をたてて線路のむこうに渦まいていた。

解説

末盛千枝子

私の本棚に須賀さんからのハガキが立てかけてある。弟の舟越桂の『おもちゃのいいわけ』を出版し、須賀さんにお送りしたときのもので「『おもちゃのいいわけ』とお手紙をありがとうございました。桂さんの作品そのものがすばらしいのと、御本の造りもすてきで、なんどもなんどもくり返しページをめくりました。相変わらず桂さんの文章もすばらしくて。こどもたちがこんなおもちゃを作ってもらったり、それをお姉さんが本にしてしまったり、舟越家っていいなと思いました。とり急ぎお礼申し上げたくて。どうぞよい夏をお過ごし下さい。桂さんにもよろしく。草々」とある。

それから半年ほどたって、須賀さんの訃報が伝わったその同じ日に、筑摩書房の中川さんが訪ねてこられ、『遠い朝の本たち』の表紙に『おもちゃのいいわけ』の写真を使いたいと言われ、しかもそれが須賀さんの希望だったということを聞いた。私自身はあの本の、中身は別として、本の造りについては何か不満足な、もの足りなさを感じていたのに、それでも須賀さんは本当に気に入ってくださったのだ、そうだったのか。本を作ってきて、こんなに嬉しくほめられたような思いを味わったことはなかった。しかもそれは訃報とともにもたらされたのだった。

私が初めて須賀さんに会ったのは広尾にある至光社という絵本の出版社に勤めているときで、一九六七年頃だったと思う。イタリア人のご主人が亡くなられたばかりの、リッカさんと紹介された。なぜかその日、至光社の武市氏に誘われて夕食をご一緒したのだった。その前年の一九六六年に私はアメリカ経由でヨーロッパに入り、イタリアを中心として六ヶ月も一人旅をし、古い教会や修道院を見て歩き、買うものといえば絵ハガキだけという生活をしていた。自分の人生について悩みながらも、時に心ときめく時間を過ごし、それでもなお、これからの行く末に決心をつけかねてもいた。夫に死なれたばかりのリッカさんに会ったのはそういう時だった。その凛とした美しさに圧倒され、何を話したらよいか解らず、ただ武市氏と彼女が話すのを聞き、一言も聞き漏らすまいとしていた。

私自身、カトリックの家庭に育ちながらも、戦後のあの時代に、思春期になるにしたがって、なにか胸を張ってキリスト者です、ましてやカトリックです、と言いにくいような感じを持っていた。もっとも、それは多分にキリスト教に対しての自分の無知から来る劣等感のためだったと今になって思うし、年齢から来る反抗心のためだったとも思う。そして当時は社会も教育も、特に私が通っていた学校は左翼的な考えの先生方が多くいたということもあったと思うが、共産党こそ正義の味方のような感じがあった。何しろ、社会全体が、信仰というものを、まるで、迷信を信じるのと同じような感覚で見ていたような時代だった。それでも、私が大学に入ったときに、母が、「どこの大学にもカトリック研究会があるはずだから、籍だけでも入れておきなさい。いつか人生に悩んで、そういう友達に相談したいと思う時が来るかもしれないから」と言うので、やむなく入ったはずの研究会だったが、結局はそこで、本当の意味で初めて、キリスト教に出会った、と言えると思う。その頃のカトリック教会には、禁書というものがあったりして、この本は信者の読書に相応しくない、と決められたりしていた。それに対して、先輩の男子学生が、文集の中で堂々と「大学生に禁書は必要ではない」と論じたりしていた。そして、戦争中のナチスへの迫害に対してローマ法王がなにもしなかった、助けようとしなかったのではないか、ということを論じた本などを取り上げて読書会をしたりしていた。それでも同じときに入学したミッション系の女子校出身の学生の中には、第二次大戦でユダヤ人たちがナチスから受けた迫害を知らない無邪気な人までいて、愕然としたのをおぼえている。

あの頃、ヨーロッパでは労働司祭といって労働者と共にスラム街で生活し、彼らとともに働く聖職者達が現れて、その人たちの存在が私にはまぶしく美しく見えた。そのころ友人が私に貸してくれた『聖人地獄へ行く』という小説は、パリで暮らすそういう人たち、労働司祭とその周りの人たちのことを描いた作品で、私はすっかり心うばわれ、自分の人生と重ねられないかと模索したりしていた。その本は、そのとき借りたまま今でも私の本棚にある。日本でも、東京の下町にバタ屋さんが集まって、廃品回収をし、その人たちと生活を共にして、蟻の町のマリアと呼ばれていた北原怜子さんという人がいた。事実私の友人にも、そこでの生活を志した人もいた。そういう時代だった。後年、あのとき会った「リッカさん」が、須賀敦子という名で『ミラノ、霧の風景』『コルシア書店の仲間たち』を発表された時、彼女の底に一貫して流れているのは、あの時代の魂のありようなのだと思った。須賀さんが日本に帰られてから「エマウスの家」という運動をされたのも、そういうことと深く関わってのことだった。その時から続いている流れであったのだと思う。

『遠い朝の本たち』を読んで、読書家とはとうてい言いがたかった私でも、須賀さんと共通した本をいくつも読んでいることを知り、私たちの育った時代のようなものを感じた。そして、もちろんうれしかった。須賀さんが、中原淳一の絵のついたノートをあんなに大切にしていたなんて、ちょっと信じられない。何か子供時代の重大秘密を明かしてくれたような気がする。

私は須賀さんより一回りくらい年下ではあるけれど、あの頃、ヨーロッパ文化への憧れは、ちょうど高村光太郎が「雨にうたるるカテドラル」という詩で表現したのと同じような気持ちがあったのではないだろうか。そして、『愛の妖精』のファデット。人知れず恋をする少女の心のありようは、まるで自分のことのように哀しかった。私も何年かまえに、文庫本で『愛の妖精』を見つけて、懐かしくてたまらず買ってしまった。サン゠テグジュペリの『夜間飛行』『南方郵便機』などは、私もやはり従姉たちが口にするのを耳にして、何かよほど素晴らしい本なのだろうと憧れていた。ずっとたって、友人たちが『星の王子さま』を騒ぎ立てていた頃、私には『夜間飛行』とか『南方郵便機』『人間の土地』などの方が親しみやすく、これがあのとき従姉たちが話していた本だったのかと納得したのを思い出す。

そしてアン・モロウ・リンドバーグ。『海からの贈り物』を読んで、これほど深い内容をこんなに平易な言葉で表現できるのか、と驚いたことを憶えている。それだけに、その頃の訳が男性の文学者の手になるもので、原文とはまるで違うように感じられ、残念でたまらなかった。そんなこともあって、アン・モロウ・リンドバーグの本が出ると、丸善に頼んで取り寄せてもらったりした。須賀さんの、人間について、暖かく、思いやり深く、あのように静かに慎み深く表現する世界は、リンドバーグと共通しているような気がする。それは、裕福な、恵まれた環境に育ちながら、人知れない悲しみをも抱えたまま、静かにものを考える少女として、女学校で育てられた人にとくべつに備わったものだったのだろうか。あるいは、このことはこの時代の少女たちが育てられた風のようなものだろうか。私の通っていた学校は女学校ではなかったけれど、ほんとうに目立たない静かな女の子が休み時間に決まって厚い本を読んでいて、何を読んでいるのかと思ってのぞくと、それはパール・バックの『大地』だったりした。あるいは『風とともに去りぬ』を回し読みしたり、エリザベス女王とマーガレット王女の少女時代の伝記が流行ったりした。そして、あの「ローマの休日」という映画もマーガレット王女をモデルにしたものだと、みんなが知っていた。

そういう読み物をとおして、私たちはそれぞれ、どのような人間になりたいか、あるいはどのような人生を良しとするかを身に付けていったのではなかっただろうか。

須賀さんは声高に何かを語るのではなく、魂の静けさといったものを、大切に心をこめて語っている。ともすれば日々の騒々しさの中にそういうものを置き忘れてしまっている私たちにとって、須賀さんの存在は重厚でありながら、なお美しく透き通った奇跡のようだった。

（すえもりブックス代表）

本書は一九九八年四月二五日、小社より刊行された。
なお、文庫化にあたって、若干のルビをほどこした。

ちくま文庫

遠い朝の本たち

二〇〇一年三月七日　第一刷発行
二〇〇二年十一月二十日　第五刷発行

著者　須賀敦子（すが・あつこ）

発行者　菊池明郎
発行所　株式会社 筑摩書房
東京都台東区蔵前二―五―三　〒一一一―八七五五
振替〇〇一六〇―八―四一二三
装幀者　安野光雅
印刷所　株式会社厚徳社
製本所　株式会社積信堂
ちくま文庫の定価はカバーに表示してあります。
乱丁・落丁本及びお問い合わせは左記へお願いいたします。
筑摩書房サービスセンター
埼玉県さいたま市櫛引町二―六〇四　〒三三一―八五〇七
電話番号　〇四八―六五一―〇〇五三

ISBN4-480-03628-8 C0195